Japan's Akarui News

日本の
あかるい
ニュース

池上 彰
［監修］

文響社

はじめに

パンデミックが起点となって未来の生活が一気に実現された

2020年は新型コロナウイルスの感染拡大によって、世界中が大混乱となった1年になってしまいました。

過去に遡(さかのぼ)ると、疫病によって世の中が大きく変わり、歴史が大きく転換するといったことは少なからずありました。例えば、14世紀にヨーロッパで流行したペストは、約1億人を死に至らしめたとされます。これにより、農業の担い手が急激に減少したため、封建領主たちは農民たちの待遇を改善せざるを得なくなり、ここから社会は資本主義的経済へと歩み始めました。また、神に祈りを捧げて、民衆を救ってくれるはずの神父も次々にペストで死んでしまったことで、当時の人々の根幹をなしていたキリスト教に対する信頼が揺らぎ、宗教改革やルネッサンスにつながったのです。

ペストは、中国からシルクロード交易を通じてヨーロッパまで広がっていきました。当時、グローバル化の基盤となっていたのがシルクロードです。そして現代、新型コロナウイルスは、中国の武漢から始まり、早い段階でイタリアでも拡大しました。これは中国が推し進めている一帯一路によって、多くの中国人や中国企業がイタリアに入っていたからだと考えられます。つまり、現代版シルクロードで、現代版ペストが起きたのです。

50年、100年先に〝2020年〟を語ろうとしたとき、「新型コロナウイルスによって世界が大きく変わった」といわれる、私たちは今、そういう時代に生きているのです。また、5年、10年先に実現されるといわれていたことが、今回のパンデミックによって前倒しされていることもあります。例えば、都市部におけるラッシュ時の〝満員電車〟は日本の名物とされていましたが、コロナ禍によって大幅に解消されました。実は、小池百合子都知事は、2016年の選挙公約の一つに「満員電車の解消」を掲げていました。幸か不幸か、新型コロナウイルスは、小池知事の数少ない公約実現を後押ししたのです。

テレワークの浸透など
コロナには〝光〟の部分もある

5年、10年先の未来が実現された大きな事例として、働き方改革も挙げられるでしょう。以前から進められていたテレワークやリモートワークの推進・普及が新型コロナウイルスの感染拡大によって、大企業だけでなく中小企業でも一気に広がりました。これによって、介護や出産・育児で思うように出社できないという人もライフスタイルに合わせた働き方ができる可能性が出てきました。こうした多様な働き方が認知され、普及したことで、介護辞職や育児退職などを減らす効果も期待できます。これは社会にとって大きなプラスであり、新型コロナウイルスの影響はあったにせよ、「変えようと思えば変えられる」ということを実感する良い機会になったのではないかと思います。

働き方改革の進展以外にも、外出制限や自粛生活による環境改善や世界的な衛生意識の向上など、新型コロナウイルスは一定の〝光〟をもたらしたとも評価できるでしょう。

新しい生活を強いられた激動期だったが、人々の優しさも大いに感じられた

感染防止のために「ソーシャルディスタンスを取りましょう」といわれていますが、私はこの表現に反対です。〝ソーシャル〟ではなく〝フィジカル〟、必要とされているのは物理的な距離であって、社会的に分断してしまってはいけないのです。そして、物理的に離れざるを得ないからこそ、人々が心をつなぐ取り組みや運動が求められていると感じています。

今後、世の中は〝非接触〟をキーワードとして、さらに大きく変化していくでしょう。そうした変化の中でも、人とのつながりや人のあたたかみの大切さは変わりません。むしろ、お互いを思いやる気持ちが、より重要視される時代になっていくはずです。

本書では、人のあたたかい心が感じられるニュースを集めています。本書が、この激動の時代に、皆さんが大切にすべきもの、大切にしたいものを考える一助になれば幸いです。

池上　彰

2020年 10大ニュース

あかるいニュースを語るその前に、まずは2020年に日本で起こった主要ニュースを総ざらいしましょう。ニュースの核心を、池上彰が徹底解説！

1. 新型コロナウイルス 世界的大流行

新型コロナウイルスの感染拡大に伴い、世界的なワクチン開発競争が始まっています。「ワクチンを制するものが世界を制する」といってもいいでしょう。

ロシア、中国、アメリカは一刻も早くワクチンを実用化して、有利な立場を得ようとしています。例えば最近、フィリピンのドゥテルテ大統領の中国に対する態度にも変化がありました。今までは南シナ海の領有権問題をめぐって中国との戦争も辞さない姿勢でいましたが、ずいぶんと軟化してきました。実は、中国がワクチンの開発に成功したらフィリピンに分けてもらう約束を取り付けていたのです。今、中国は猛烈な勢いでワクチン外交を行っています。自国で発生したウイルスで、ワクチン外交をするというのは自作自演のようで皮肉なものです。WHOの調査によると、世界各国で108のワクチン開発が進んでいて、ロシアと中国は、すでに実用化に成功したといっています。その信憑性はさておき、現時点でいくつか有望とされるものもあるようですが、まだまだ不透明です。

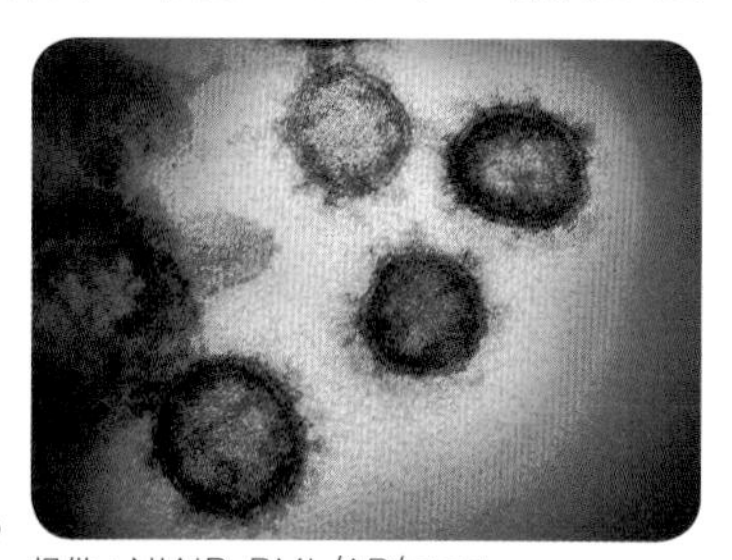
提供：NIAID-RML/AP/アフロ

2. テレワーク浸透

コロナ禍によって、官公庁のIT化もようやく進み始めました。一方で、多くの民間企業は柔軟にテレワークに移行している印象です。あるテレビ局では、毎月1回程度は系列のネットワーク局に集まって会議をしていましたが、すべてウェブ会議になりました。こうした変化によって、無駄な会議や移動がなくなり、業務の効率化が進んでいます。働き方が多様化することで、プライベートの過ごし方にも変化が起こってきています。

3. オリンピック延期

国際オリンピック委員会（IOC）と組織委員会は、延期に伴う追加経費を削減する簡素化に合意するなど、2021年の開催に向けて着々と準備を進めています。しかし、現在の状況がしばらく続くようであれば、やはり厳しいのではないでしょうか。開催するには、2021年の夏までに世界中のある程度の人々にワクチンを接種できる体制が整うことが最低条件になるでしょう。

画像提供：ペイレスイメージズ/123RF.COM

4. 九州に集中豪雨

地球温暖化によって、海水温が上昇し、台風のエネルギーが弱まらないまま日本に上陸することが増えました。台風や豪雨などの災害時は避難所が開設されますが、かつての避難所は体育館や公民館などで、避難した人は毛布などで雑魚寝をしていました。最近では、新型コロナウイルスの影響で、仕切り板などが用いられるようになり、プライバシーも配慮されるようになりました。避難できればいいという考え方から、避難した方や被災者の暮らしやすさや人権を守るかたちへと変わりつつあるのは良い傾向ととらえてよいでしょう。

5. 拉致被害者家族、相次いで亡くなる

北朝鮮の工作員などによって日本人が連れ去られた拉致問題は、被害者家族の活動で広く知られるようになりました。2002年には北朝鮮が拉致を認め、被害者5名の帰国が実現しましたが、いまだ完全な解決には至っていません。かつてはメディアで多く取り上げられていましたが、徐々に報道が減ってきているのが現実です。今後もさらに拉致被害者とその家族の高齢化は進んでいくため、解決を急ぎたいところです。決して問題を風化させてはいけません。

6. SNS誹謗中傷問題

SNSを使うのであれば、軽い気持ちで書いたメッセージやつぶやきが、人を死に至らしめる凶器になるかもしれないという自覚を持つ必要があります。アメリカでは17歳の若者が、SNSで誰かを批判する言葉を発信しようとすると「本当に送りますか？」と忠告が出るソフトを開発しました。すると、誹謗中傷の数が90％も減ったといいます。誹謗中傷をしないことはもちろんですが、誰かを批判する時は一呼吸おいてみることが大事です。

7. 大坂なおみさん

プロテニスプレイヤーの大坂さんは、アメリカの警察官による人種差別的な暴力被害に遭った黒人犠牲者名をマスクに記して、全米オープンにのぞみました。そして、決勝まで7試合、7人分のマスクをすべて着用し、優勝。スポーツ大会に政治の話を持ち込むことにはさまざまな意見がありますが、試合に持ち込まずして、社会に問題提起することに成功しました。彼女の行動をひとつのニュースとして消費するのではなく、私たちは勇気ある行動から、差別そのものの抜本的な解決について考え、模索していかなければなりません。

9. 長期安倍政権終了

憲政史上最長の在任日数を記録した安倍政権が突如終了したことで、政治的な課題はそのまま菅政権に引きつがれました。例えば、日露の北方領土問題は進んでおらず、日韓関係も険悪なまま、日中関係も然りです。本来であれば、習近平氏を国賓として招くはずでしたが、香港の問題などで非難が高まる中、習近平氏を招くのは難しいでしょう。一部の外交だけを見ても、非常に難しい課題が残されているといわざるを得ません。

8. 藤井聡太八段、二冠達成

史上最年少となる14歳2か月でプロ入りすると、無敗で公式戦最多連勝記録となる29連勝を達成した藤井さん。2020年は史上最年少となる17歳11か月で初タイトルとなる棋聖を獲得し、さらに王位も獲得して最年少八段昇段を果たしました。個人的には藤井二冠の語彙力にも注目していて、高校生とは思えない語彙が身についたのは毎日読んでいるという新聞のおかげではないかと思います。

10. GDP、戦後最大の落ち込み

日本の4～6月実質国内総生産（GDP）は年率27.8％のマイナスとなり、戦後最悪の落ち込みとして大きく報じられました。しかし、これはこの落ち込みを「年率に換算すると」という数値で、3か月間の落ち込みだけを見ると前期比7.8％です。ただ、これだとあまりピンとこないので、国民にわかりやすく理解してもらうためにメディアが年率換算にしたのです。数字の意味を正しく理解して、あまり悲観しすぎないようにしてくださいね。

目次

はじめに……2
10大ニュース……6

あかるい社会・くらし

01 学生を支える
「こんな時だからこそ」駅員が贈る感謝の卒業証書……14

02 波及する支援の輪
周りの学生突き動かした女子中学生 広まるマスク支援の輪……18

03 ステイホームを支える人たち
ゴールデンウィークは「いのちを守る」ステイホーム週間に……22

04 市民の底力
従業員8人の町工場 フェースシールド1万枚を3日で病院へ……26

05 医療従事者への感謝
医療機関の従事者に慰労金、最大20万円……30

06 テレワーク
朝ラッシュ混雑2割減 テレワーク、時差出勤呼びかけで……34

07 ニューノーマルを楽しむ
自宅でも外食気分「おうち居酒屋」が流行中……38

08 深まる家族の時間
「家族の絆が深まった」コロナをきっかけに気付いた大切なこと……42

09 7月豪雨のあとで
豪雨復旧に県民ボランティア「熊本パワー」結集……46

10 まちのヒーロー
「世界をつなげる応援を」オリンピックおじさん受け継ぐのは僕……50

11 多様性のある社会
手話が共通言語のスターバックス日本初出店……54

12 新駅
約50年ぶりのJR新駅「未来をイメージできる駅」高輪ゲートウェイ駅開業……58

13 あつまれ　どうぶつの森
人気ゲームでバーチャルでも美術館の魅力味わう……62

14 藤井八段
藤井聡太
棋聖に続き王位へ
史上最年少で二冠 …… 66

15 鬼滅の刃
勢い止まらぬ『鬼滅の刃』
漫画も小説も
ベストセラーに …… 70

〈実はよくなっていること ①〉… 74

あかるい政治・経済

16 企業のコラボレーション
「志は一つ」ヤフーと
LINE統合へ
GAFAに続け …… 76

17 男性の育児休暇
小泉環境相が育休へ
「男性公務員の育休
取りやすい空気に」 …… 80

18 令和の皇室
「直接話を聞く機会大切に」
天皇陛下60歳に
即位後初会見 …… 84

19 給付金
「国難ともいえる状況
乗り越えるため」
10万円を一律給付 …… 88

20 オンライン医療
オンライン診療
初診から
一部可能に …… 92

21 外国籍の子どもたち支援
外国籍の子「今後の
日本を形成する存在」
文科省が通知 …… 96

〈実はよくなっていること ②〉… 100

あかるい環境

22 脱プラ・レジ袋有料化
7月からレジ袋有料化へ
海洋プラスチックごみ
対策で …… 102

23 CO2削減／SDGs
再エネ比率が急上昇
23・1％
政府目標に迫る …… 106

24 学生たちの活躍
SDGs実現目指し
ユーグレナCFO
女子高生が挑む …… 110

あかるい科学・技術

25 チバニアン
地球の地質時代名に「チバニアン」日本の研究水準の高さ世界へ示す……114

26 スパコン富岳
スパコン「富岳」計算速度世界一へ日本勢1位は9年ぶり……118

27 進歩し続ける医療
ユニクロ会長が100億円研究費寄付「日本を良くしたい思い変わらない」……122

28 宇宙への接近
UAEの火星探査機「HOPE」打ち上げ成功、種子島で……126

あかるいスポーツ

29 ラグビー
ラグビーワールドカップ歴史的な快進撃日本ベスト8……130

30 陸上
日本新記録の大迫傑「ほっとした」競技の普及にも意欲……134

31 高校野球
一戦に全てを懸ける夏高校野球交流試合を開催……138

32 サッカー
キングカズJ1最年長出場記録を大幅に更新……142

33 勇気をもらった瞬間
大坂なおみ人種差別撤廃への願い込め全米テニス優勝……146

まだまだある!! まちにあふれるあかるいニュース……150

勝手にあかるい流行語……158

2020年
日本の
あかるいニュース

大変なことも多い一年でしたが、決してそれだけではありません。
未来に希望を抱けるようなニュースや、人の優しさが感じられるニュース…。
日本全国の新聞やウェブサイトには見過ごしたくない
たくさんの“ あかるいニュース ”がありました。

本書では2019年秋から2020年秋までのニュースを掲載しています。
特に年号の記載がない記事は、2020年の記事です。

2020 News 01

あかるい社会・くらし

学生を支える

「こんな時だからこそ」駅員が贈る感謝の卒業証書

「駅員さんお手製、感謝の〝卒業証書〟鹿児島中央駅／鹿児島県」

［3月6日 朝日新聞］

今日まで毎日駅を利用してくれてありがとう――。県内で卒業式のある日、鹿児島中央駅（鹿児島市中央町）の在来線改札口付近に、駅員らが手作りした「卒業証書」が置かれている。「心あたたまる」「こんな大変な時期に素敵」などとSNSでも話題を集めている。

同駅の若手駅員らが今年初めて企画し、縦70センチ×横120センチの黒板をカラフルな桜や列車の絵で彩った。

黒板には「大雨に弱い指宿枕崎線」「動物にぶつかる日豊本線」「意外としぶとい鹿児島本線」と各路線をユーモアを交えて紹介。

「使い勝手のいい駅ではなかったかもしれない」「元気に通学する姿をみて元気をもらっていました」「ご卒業おめでとうございます」と、駅を利用した卒業生たちへ、温かな視線で感謝を伝える言葉がつづられている。

新型コロナウイルスの影響で、多くの学校の卒業式で参加人数が制限されたり校歌斉唱を控えたり、縮小化されているため、一時は設置を取りやめることも検討したという。だが「こんな時だからこそ、私たちの気持ちを伝えたい」と設置を決めた。

メッセージを書いた駅員、宮崎可奈子さん（23）は「中央駅に通った日々がいい思い出になってくれたら」と話した。

この「卒業証書」は県内の多くの高校で卒業式があった今月1、2日などに設置された。次回見られるのは、小中学校などで卒業式がある12、20、24日の予定。変更の可能性もある。

（小瀬康太郎）

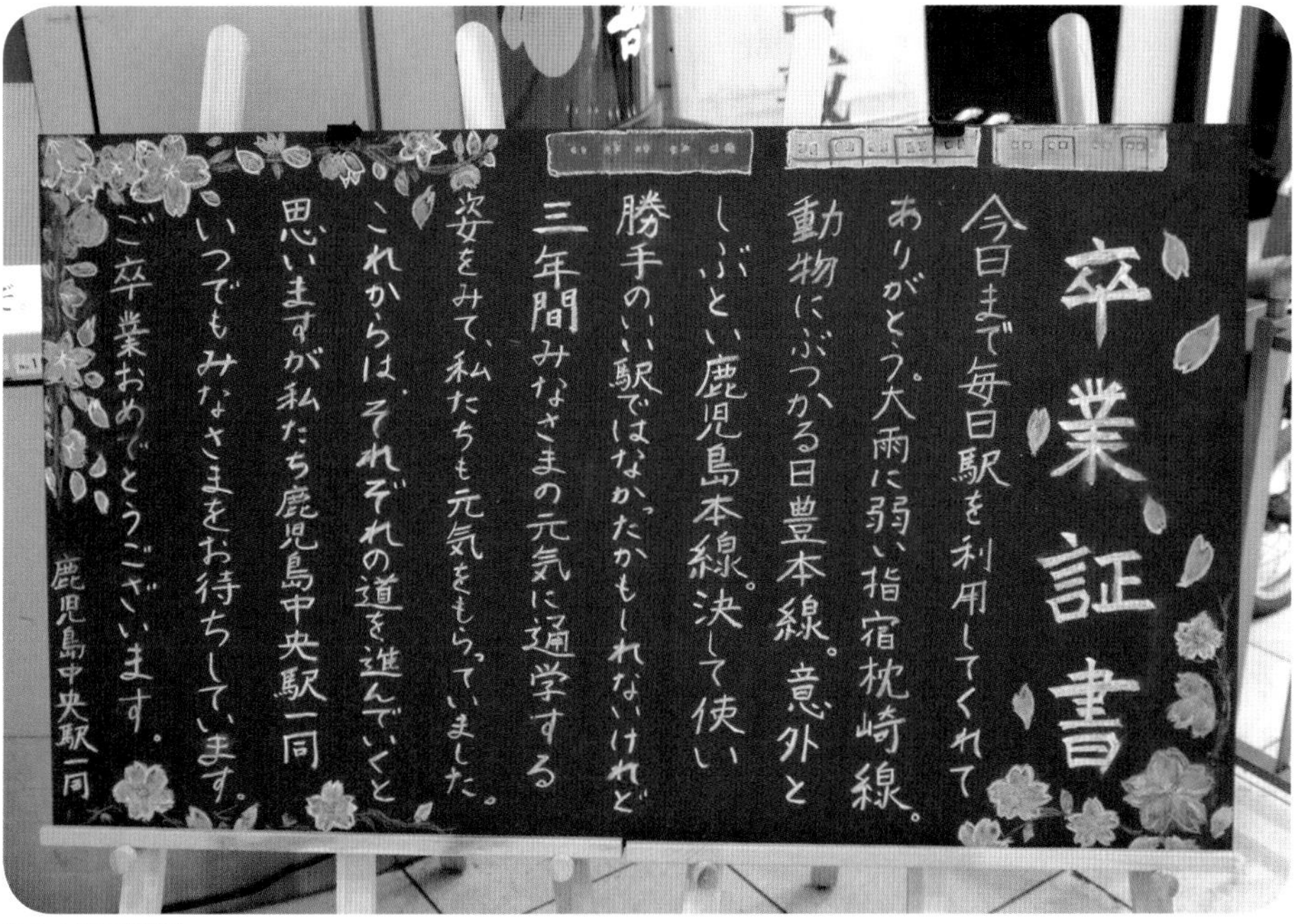

提供：朝日新聞社

コロナ禍で錯綜する教育環境、地域住民が協力の手を差し伸べる

学生を支える

青森）困窮学生支援に100円夕食 弘前大がコロナ対策

［6月9日　朝日新聞デジタル］

新型コロナウイルスの影響で経済的に困窮している学生を支援しようと、弘前大学は大学生協と協力して、文京キャンパスの食堂で「100円夕食」の提供を5日から始めた。平日の夕方に日替わりのセットメニューを100円で提供する。

初日の5日午後5時、大学生協文京食堂店では学生が列を作り、限定200食のチキン南蛮セットが30分ほどで売り切れた。理工学部1年の加藤俊（仮名）さんは、「普段なら400～500円はするメニューがこの価格とはすばらしい」。

加藤さんは北海道出身。入学直後は一時、飲食店でのアルバイト自粛を大学から求められ、休業要請の影響で塾講師の仕事も見つからなかった。「仕送りは節約したいし、課題が多くて自炊にも時間が割けなかったので助かる」

100円夕食の提供は、アルバイト収入減や実家の仕送り減に苦しむ学生を応援しようと、福田真作学長ら大学役員が発案した。学生の支援のため卒業生や教職員から寄せられた寄付約1千万円の一部で費用をまかなう。8月6日の前期授業終了まで続ける予定。

消化器内科医でもある福田学長は、「一日一食でもたんぱく質や野菜をしっかりとることが大切。学生の笑顔がうれしい」と話した。（林義則）

古賀市の千鳥小学校「きれいにしてくれてありがとう」消毒担当職員と児童が黒板交流

［8月9日　西日本新聞］

「いつも教室をきれいにしてくれてありがとうございます」「なんちゃないさ（どうってことないさ）」—福岡県古賀市の千鳥小で、教室やトイレの消毒を担当する職員2人に向けて児童が黒板にメッセージを書き、読んだ職員が返事を書いた。同市では教員の業務軽減のため7月から消毒担当の会計年度任用職員を72人採用しており、その多くが「コロナ禍の学校運営に協力したい」と手を挙げた地域住民や保護者だという。

小中学校の再開後、感染予防のための放課後の消毒作業は教職員の大きな負担だった。同市

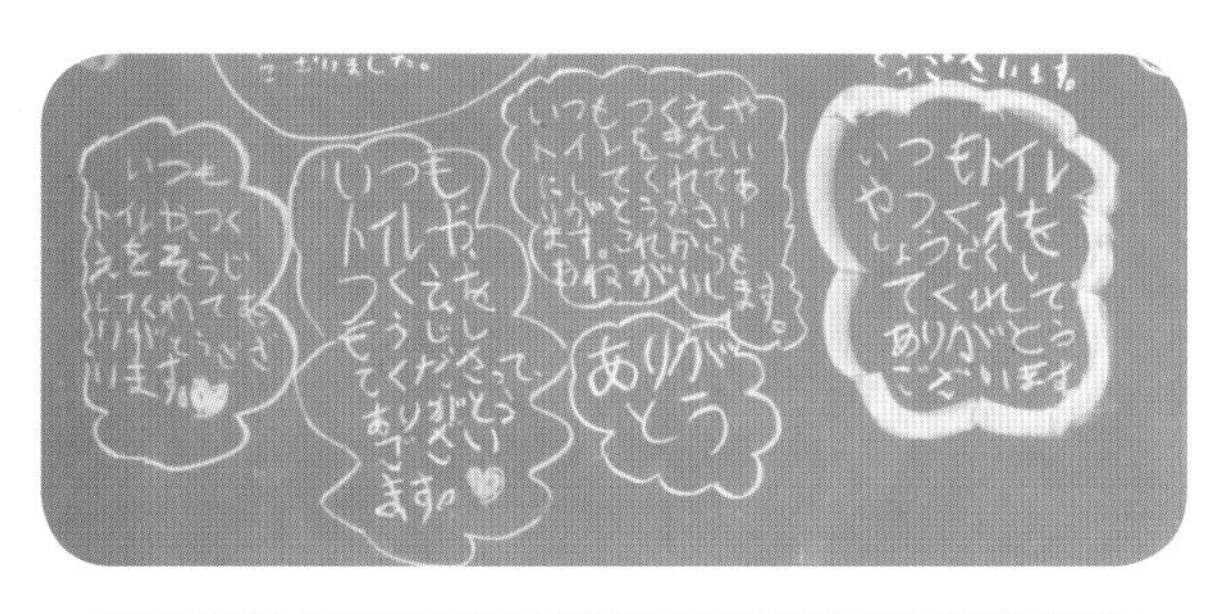

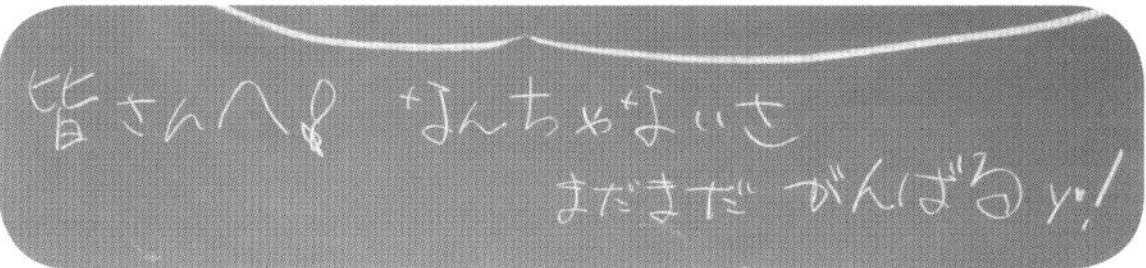

提供：西日本新聞社

教委は消毒を受け持つ職員を募り、各学校に配置。千鳥小では2人が12教室の机やいす、トイレなどの消毒を分担している。

児童が下校した後の作業なので、双方が直接、顔を合わせることはない。だが、トイレの便器がピカピカに磨き上げられているなど、自分たちの掃除では行き届かない場所まできれいになっていることに子どもたちが気付いた。

7月下旬、前半の夏休み前に子どもたちは各教室の黒板に感謝の言葉を書いた。下校後に消毒に訪れた職員は、喜んで返信を書いていたという。神崎美春校長は「夏祭りなど地域との交流行事もコロナで中止になってしまったが、今までとは違う形で子どもたちが心の交流をすることができた」と話している。（今井知可子）

池上彰の視点

学生たちの学びを守る体制を

コロナ禍によって、休校や学校行事の中止が相次ぎ、学生たちにも大きな影響が出ました。学校教育が機能停止に陥り、子どもたちの成長に欠かせない貴重な時間や機会が奪われたことは、日本の未来にとって非常に大きな問題です。近年、EdTechというワードが注目を集め、オンライン授業の活用も少しずつ進んでいますが、まだ道半ばです。この機会に、学校という場所にしばられず、より柔軟に教育が受けられる体制整備を加速させるべきでしょう。

2020 News 02

あかるい社会・くらし

波及する支援の輪

周りの学生突き動かした女子中学生 広まるマスク支援の輪

「広がる手作りマスク支援の輪 機運作った女子中学生『1枚でも多く届けたい』」

［4月22日 文・産経新聞］

マスク不足の解消は自分たちの手でー。新型コロナウイルスの感染拡大を受け、緊急事態宣言が全国に拡大する中、山梨県は21日までに、県内の障害者施設で手作りされた布マスクを買い上げて、高齢者施設や保育所などに配布する計画を現実化した。同県では3月に、山梨大付属中の女子生徒が手作りのマスク約600枚を県に寄付。その後も県立日川高の高校生らが1200枚以上のマスクを作って県に贈るなど、支援の輪が広がっている。

山梨県がこのほど発表したのは「やまなし手作りマスクプロジェクト」。布マスク製造から供給まで県内で行う計画で、長崎幸太郎県知事は「顔知らぬ県民同士が互いに助け合い、心の絆と励みを感じ、明日への希望につながれば」と語った。

県はマスク製作をコロナ禍で就労機会が減少している障害者施設の入所者に依頼予定。ウイルスを不活性化させる特殊フィルターの提供や製作指導などを支援し、基準を満たした完成品を買い取り、マスク不足に悩む高齢者施設や保育所、幼稚園などに無料配布する。

提供：山梨大学

こうした機運を作ったのは、甲府市の山梨大付属中に通う女子中学生だった。3月17日、当時中学1年だった滝本妃（ひめ）さん（13）は、県に布マスク612枚を寄付した。「マスク不足で自分にできることはないか」。そう考え、お年玉貯金を下ろして材料を購入。ミシンで丁寧に縫い上げた。

さらに今月15日、中学2年になった滝本さんは、山梨大医学部付属病院へ250枚の布マスクを贈った。「一番必要な医療現場で不足していると聞いて、ショックで」。今回は抗ウイルスガーゼも購入し「ガーゼが内側に来るよう工夫しました」と進化させた。今も毎朝5時に起き、朝食前の2時間と、午後3時間をマスク作りに。1日20〜30枚を縫っている。

「すごいと思った」。滝本さんの行動力に山梨市の県立日川高3年、小宮山文登（あやと）さん（17）は突き動かされた。「高校生だからできることを」と、他校の友人も含めた約60人の仲間に呼び掛けてマスクを製作。1週間で1236枚を作り、21日までに県に寄付した。山梨大医学部6年の籏原（はたはら）昌志さんら医学生11人も、高齢者施設にまず手作りの87枚を贈った。

政府も全国の世帯に布マスク配布を始めた。滝本さんは「うれしいし感謝しています。皆で協力しなければ状況は変わらない。必ず終わりは来る。私もそれまで1枚でも多くマスクを必要な方に届けたい」と話した。

（丸山汎）

「自分にできることはないか」誰かの行動が大きな支援へ広がる

波及する支援の輪

深谷シネマ再開 ミニシアター・エイド基金など支援に感謝「次は恩返し」

［6月8日　熊谷経済新聞］

新型コロナウイルスの影響で臨時休館していた深谷市のミニシアター「深谷シネマ」（深谷市深谷町、TEL　048－551－4592）が6月7日、約2カ月ぶりに営業を再開した。

深谷七ッ梅酒造跡にある同館。新型コロナウイルス感染拡大に伴う緊急事態宣言を受け4月9日より臨時休館していたが、埼玉県の休業要請緩和で感染拡大防止対策を講じ営業を再開することを決めた。来場者には入場時の検温やマスク着用を求めるほか、場内各所にアルコール消毒液を設置し、常時換気、上映ごとに場内や座席を消毒、通常57席のところ前後左右の座席を空けて28席定員にするなど感染防止対策を実施する。

7日～13日は劇映画「家族を想うとき」「この世界の（さらにいくつもの）片隅に」、ドキュメンタリー映画「〈片隅〉たちと生きる　監督・片渕須直の仕事」と、4月に予定していた作品を順次上映予定。営業再開初日となった7日は57人が訪れた。

提供：熊谷経済新聞

館長の竹石研二さんは「臨時休館中に寄付を持参したり振り込んでくださったりする方があり、心からお礼を申し上げたい」と話す。映画監督の深田晃司さんや濱口竜介さんらの呼び掛けで、3億円を超える支援金が集まった全国のミニシアターを救え！キャンペーン「ミニシアター・エイド基金」にも助けられているという。

竹石さんは「想像以上の支援。ありがたく思うと同時に映画の現場を考えると心苦しい。次は私たちが恩返しをする番、なるべく多くの作品を上映していきたい」と意気込む。「自粛要請の中、私自身何かが足りないと感じていた。食事や睡眠など最低限の生活だけでは人間の精神は満たされない、芸術や文化に触れて感動や笑い喜怒哀楽を感じることの大切さを改めて思う。ぜひビタミンシネマで心の元気を」とも。

2010（平成22）年に七ッ梅酒造跡に移転した同映画館。NPO法人市民シアター・エフが維持管理。「市民のための映画館」を目指し賛助会員を募集するなど映画館存続のための活動を続けている。竹石さんは「暗い場内、大きなスクリーンで集中して見る映画の感動は思い出に残る。映画館に行くこと自体を楽しんでほしい」とほほ笑む。

上映は1日5回。火曜定休。料金は、一般＝1200円、高校生＝800円など。

「感覚過敏でマスク着けられません」意思表示カードを作成 14歳の少年社長がアイデア

［6月1日　京都新聞］

「感覚過敏でマスクをつけられない人向けの意思表示カード」を、東京都中央区の「感覚過敏研究所」が作り、ネット上で無料配布している。見た目で伝わらない感覚過敏を「一目で伝えるものを作りたい」という思いで、14歳の少年社長が作成した。

カードを作ったのは、同研究所を運営する企業「クリスタルロード」の社長で、中学2年の加藤路瑛さん。加藤さんも、嗅覚や味覚などが過敏で、レストランのにおいで体調を崩したりするという。

今回、子どもがマスクを着けていないことを非難するネット上の書き込みに苦悩する女性のSNS（会員制交流サイト）を見て、「自分にも何かできることはないか」と考え、感覚過敏を可視化できるカードを考案した。

カードは、「感覚過敏のためマスクがつけられません。よろしくお願いします」というメッセージと、触覚の過敏さを象徴するハリネズミを描いている。名刺サイズで、ネームホルダーに入れたり、かばんや帽子に着けたりする。加藤さんは「今、マスクをしていない人を見掛けたら『何か理由があるのでは』という視野を持ってほしい」と呼び掛ける。

カードは、感覚過敏研究所のホームページで無料ダウンロードでき、印刷して使うことができる。

池上彰の視点

文化芸術活動への支援は待ったなしの状態

映画館や劇場、美術館、博物館などの休館、イベント・コンサートの中止など、新型コロナウイルスの感染拡大は文化・芸術面にも大きな影響を及ぼしました。国は文化芸術関係者に対する支援策を講じたものの、対応の遅さに批判が集中。これに対し、日本の映画館を救う取り組み「ミニシアター・エイド基金」のクラウドファンディング※には、3億円を超える支援金が集まるなど、市民が文化を守りたいと強く考えていることが明確になりました。

※インターネット上で資金を募ること。

2020 News 03

あかるい社会・くらし

ステイホームを支える人たち

ゴールデンウィークは「いのちを守る」ステイホーム週間に

「〈新型コロナ〉『ステイホーム週間に』都知事、12日間要請」［4月25日　文・東京新聞TOKYO web］

東京都の小池百合子知事は二十四日の会見で、「二十五日から五月六日までの十二日間を『いのちを守るSTAY（ステイ）HOME（ホーム）週間』として、休業や外出抑制を一層進める取り組みを展開していく」と説明。事業者に十二日間の連続休暇やテレワークの推進、都民には外出自粛を強く求めた。（小倉貞俊）

期間中は都立公園などの利用自粛を呼びかけ、駐車場や遊具広場、キャンプ場を閉鎖。スーパーなどでの買い物を三日に一回ほどに控えてもらうほか、商店街には加盟店一体で混雑回避などの取り組みを求める。

自宅での過ごし方や著名人のメッセージなどを動画で紹介する専用ウェブサイトも立ち上げた。

小池知事は「この連休が正念場。今の皆さんの行動が二週間後の（感染者の）数字になって表れる」と訴えた。

■首相「接触減の要点参考に」

安倍晋三首相は二十四日、官邸で開いた新型コロナウイルス感染症対策本部の会合で、外出自粛のストレスなどによるドメスティックバイオレンス（DV）や児童虐待の防止対策を強化するよう関係閣僚に指示した。防護具が不足する病院などの医療現場に、院内感染を防ぐため高機能マスクなどを追加配布する方針も明らかにした。

DV被害者の相談用フリーダイヤルを二十九日から二十四時間対応とし、SNSやメールでの相談も始めると表明。加害者と別居するDV被害者には、全国民に一律給付する十万円を直接届けるとした。

医療防護具は新たにサージカルマスク千五百万枚、医療用ガウン百三十万枚などを、物資不足に直面する医療機関へ月内に配布すると説明。国民に対し、政府専門家会議が人との接触機会を八割削減するために提示した日常生活における十項目のポイントを参考にするよう呼びかけた。（上野実輝彦）

写真：アフロ

おこもり生活でも心に彩りを ささやかな心遣いと発想の転換

ステイホームを支える人たち

ごみ収集作業員に感謝の言葉次々
新潟　ごみ袋などに手紙やマスク

［5月15日　新潟日報］

新型コロナウイルスの感染が懸念される環境下でも、普段と変わらずごみ収集を続ける作業員をねぎらう手紙が各地で相次いでいる。新潟市でも確認できるだけで約80通あり、直接感謝の言葉をかけられるケースも増えている。市清掃委託連絡会の水野正夫会長（50）は「清掃員もなくてはならないライフラインだと実感し、励みになる」と喜ぶ。

同連絡会によると、市内には家庭ごみ収集の委託業者が24社あり、そのほとんどでメッセージが確認された。ごみ袋やごみステーションに手紙が貼られていることが多く、マスクが付いている場合もある。

秋葉区では4月半ば以降、担当する2業者で計10件確認。新津清掃社は社員が見て士気が高まるよう、休憩室に掲示した。

同社によると、マスクなどが捨てられる燃えるごみ、直接口をつける缶・瓶の回収には感染の危険性もある。作業員には消毒の徹底に加え、収集車のふたを素早く閉めるように指導している。

前田正実社長（64）は「ごみの量も増えているが、市民がステイホームを守っているからこそ。早い収束を願うばかりだ」と話した。

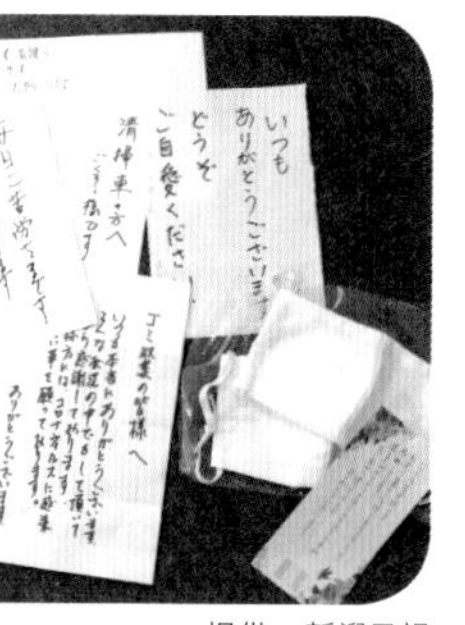

提供：新潟日報

休校で仕事、子育てに忙しい親へ
花一輪で元気を
沖縄で花屋が300本無料で配る

［3月13日　沖縄タイムス＋］

一輪の花で、世の中に元気と潤いを—。12日、新型コロナウイルスの感染拡大防止で自粛ムードが広がる中、街行く人々に無料で花を配った人たちがいる。供花やギフト花を販売する「ゆいプラン」（那覇市）の比嘉亮代表取締役（40）と妻の和泉さん（46）ら。自社の売り上げも例年より減ったが、「少しでも多くの人を笑顔にしよう」と粋なプレゼントを贈った。（社会部・新垣卓也）

「お仕事お疲れさまです。お花、どうですか」

12日午後、那覇市久茂地のオ

フィス街。比嘉さん夫妻や娘の杏珠さん（17）、その友人らが歩道に立ち、通る人に声を掛けた。

段ボールに詰め込まれたガーベラやチューリップ、バラなど色鮮やかな花々。足を止めた那覇市の大城美智子さん（81）は「いいんですか?」と驚きながらも、一輪手に取ってにっこり。「花好きだから自分でもよく買うけど、もらうとうれしいですね」

同市の自営業男性（50）も「一日頑張ろうと思った。自分の店に飾りたい」と喜んだ。中には、お返しにビスケットを渡す人もいた。

自粛ムードで小規模な家族葬などが増え、供花を主に扱う同社も例年より注文が3割ほど減少した。10日夜、夫妻で食事をしながら何ができるか考えた。

休校中の子どもの世話や仕事を頑張るお父さんお母さんに、感謝とお疲れさまの気持ちを届け、花業界も元気づけよう—。翌日すぐ、買い手不足で在庫を抱える市場から花を買い取り、一つ一つ夜通しでラッピングした。

一緒に配った杏珠さんは浦添商業高2年生。休校で、所属するソフトボール部も活動を中断している。本当は学校にも行きたいし、部活もしたい。そんな思いを抱えながら、花を配った。「笑顔で受け取る人たちを見るとうれしい」と顔をほころばせた。

用意した分では足りず、追加も合わせて計300本を届けた。思い立って実施した企画は、比嘉さん家族のためにもなったという。「花一つでこんなに喜んでくれるんだって、私たちも改めて気づかされました」

自粛のストレスは“和”の心で制す

他県ナンバーのクルマに嫌がらせをする“県外ナンバー狩り”が話題となり、深夜営業の飲食店やお盆休みで帰省した人に対する嫌がらせも起きました。しかし、こうしたニュースは一部の話です。国による厳格な行動制限が課されていない日本において、アメリカやブラジルのような感染爆発が起きていないのは、国民一人ひとりの意識の高さの表れでしょう。自粛生活によるストレスに負けず、これからも日本人として“和”の心を大切にしていきましょう。

市民の底力

従業員8人の町工場 フェースシールド1万枚を 3日で病院へ

「フェースシールド1万枚、3日で病院へ 従業員8人の町工場が超速仕上げ」

［6月22日 埼玉新聞］

「フェースシールドが不足して困っている」と駆け込んできた病院職員の話を聞いた町工場の社長は「分かりました」と即答、土日に型と生産ラインを作り、月曜日に製造ラインを動かした。従業員8人の戸田市の小さな工場は、超速の3日で1万枚のフェースシールドを仕上げて病院に届けた。

工場は戸田市新曽のWATAX(ワタックス)。金属も含め「何でも加工できる」が売りの小さな工場だ。駆け込んだのは、戸田中央総合病院を運営する戸田中央医科グループの広瀬晶子さん。同工場の渡辺正文社長(55)は長年、戸田ロータリークラブで社会奉仕活動に参加してきた。同クラブのチャーターメンバー(創立時会員)で唯一の存命者が同医科グループの中村隆俊会長(92)。会長秘書の広瀬さんはその縁を頼ったのだった。

提供：埼玉新聞

医療用のマスクの上部に両面接着テープで透明プラスチックシートを取り付けるタイプ。下部は直線だが、上部は曲線で膨らむ。横幅は最大で25センチ、縦は最大12センチ。同病院では、職員が文房具の書類ファイル用のシートをハサミで切って手作りしていた。顔全面をカバーするものとは違い、鼻と目をカバーする。

広瀬さんが駆け込んだのは4月の初め。話を聞いた渡辺さんは「病院の現場は思った以上に過酷で驚いた。何とかしなくちゃと思った」と言う。

「コロナ禍で世の中が凍結した。ロータリークラブの奉仕活動も事実上ストップしていた。だから、誰かが困っているという情報が入ってこない。世の中と一緒に自分も活動を止めてしまっていた。これではだめだ、と気付いた」と渡辺さんは語る。

工場は、大手工場で働いた技術を生かして独立した渡辺さんが2001年に創業。食品や医薬品などさまざまな分野の製造ラインの設計・製造を請け負っている。

コロナ禍で注文はストップ状態。「しかし、かつて進出した中国の工場を撤退して日本国内に回帰する動きが出ている。日本で生産ラインを再構築したいというメーカーからの注文が舞い込んでいる」という。

工場内には、穴を開けたり、削ったり、さまざまな精密工作機械が並ぶ。それぞれ得意分野がある機械群は、油で磨かれ重厚な存在感を放つ。従業員も腕に自慢のベテランがそろう。事務担当も含めて社員は7人。フェースシールドは全員が動いたプロジェクトだった。

工場の事務担当、大川文子さんは「コロナ禍で病院が困っていることを手助けすることに自分も関われて役に立てたことがすごくうれしい。満ち足りた気持ちになりました」と話した。

民間企業の善意とアイデアが市民の健康と笑顔を守る

市民の底力

「旅行みたいで楽しい」登下校に観光バス活用 猛暑の通学「熱中症から児童守れ」

［7月28日　丹波新聞］

新型コロナウイルスの影響で夏休みが短縮され、猛暑の中を通学することになった小学生を熱中症から守ろうと、兵庫県丹波市内の観光バス会社3社が、登下校時に無償で送迎バスを走らせるボランティア活動がこのほど、実施校の北小と和田小で始まった。両校の遠距離通学児童計126人が利用し、朝夕、観光バスに乗って登下校。北小の83人は、大伸観光と丸茂観光バスが送迎。和田小の43人は、大垣観光バスが担当している。週末や夏休み期間などを除く8月25日までの延べ13日間実施される。

初日、北小児童のバスの乗降場所の一つになっているローソン氷上北店駐車場には、平時は4キロ近くを歩いて学校へ通っているという氷上地区の児童約10人が午前7時過ぎにやって来て、手の消毒を済ませると、うれしそうにエアコンの効いたバスに乗り込んだ。

2人のわが子を見送りに来ていた母親は、「特に気温の高い下校時が不安で、保護者間で子どもたちの送迎計画を練っていた矢先のことだった。地元企業にこんなことをしてもらえるなんてびっくり。感謝の言葉しかありません」と喜んでいた。

提供：丹波新聞

学校に到着した児童たちは、出迎えた教師らに「おはようございます」と元気よくあいさつしながら下車。いったん整列して周囲の安全を確認すると、それぞれの教室に向かって駆けて行った。

約40分かけて通学しているという6年生の女子児童2人は、「田んぼの中が通学路なので、日陰が全くなく、夏の通学は本当に大変。でも今年の夏は観光バスで送ってもらえて旅行みたいで楽しい。バスの人たちに応援してもらっているので、私たちも暑さに負けず頑張ります」と声を弾ませていた。

和田小の細見宏幸校長は、「1時間以上かけて通学する子どもがいる。熱中症対策として、最寄りの公民館を給水ポイントにして休憩しながら帰るようにと全校児童に意識付けをしている。そんな中での今回の申し出。本当に感謝を申し上げたい」と話している。

丹波警察署も協力。バスの乗降場所となっている公民館などの各所に警察官が立ち、児童たちの安全を見守っている。

「マスクの下は笑顔です。」南足柄市と伊豆箱根鉄道が「instaxチェキ」利用で連携

［8月10日　小田原箱根経済新聞］

神奈川県南足柄市と伊豆箱根鉄道は、インスタントフォトシステム「instax（インスタックス）チェキ」を活用したコミュニケーション活動「マスクの下は笑顔です。」を行っている。

新型コロナウイルスの感染防止のためマスク着用が日常化した現在、市民や乗客との温かみのあるコミュニケーションができにくくなっている。これを解決するために、南足柄市と伊豆箱根鉄道が連携して「マスクの下は笑顔です。」を展開。市の職員や乗務員や駅員が、「instaxチェキ」で撮影した笑顔の写真を身につけることでコミュニケーションのきっかけ作りをしている。

「instaxチェキ」は富士フイルムイメージングシステムズの商品で、フィルム部分は富士フイルム創業の地である南足柄市の事業所で生産されている。活動の開始に当たり、南足柄市役所の全職員、道の駅「足柄・金太郎のふるさと」の従業員と、伊豆箱根鉄道大雄山線の駅員及び乗務員は、「instaxチェキ」を使って自分の笑顔を撮影して参加した。

伊豆箱根鉄道の志村博さんは「マスク着用が日常になり表情がわかりづらくなってしまった。この取り組みによりお客さまとのコミュニケーションが少しでも明るいものになれば』と話す。

未来のために感染予防の継続を

政府は「新しい生活様式」の感染予防策として①身体的距離の確保、②マスクの着用、③手洗いを挙げています。すでに実践されている方がほとんどだと思いますが、私たち一人ひとりが感染予防を継続していくことが、医療崩壊を防ぎ、新型コロナウイルス感染症の終息を早める一歩となることを忘れてはいけません。私たちが今、実践していることは必ず未来につながります。終息まで気を抜かず、未曾有の危機を乗り越えていきましょう。

2020 News 05

あかるい社会・くらし

医療従事者への感謝

医療機関の従事者に慰労金、最大20万円

「全保険医療機関の従事者に慰労金、7月20日から申請受付開始―最大20万円を支給」

［7月17日 文・Web医事新報］

新型コロナウイルス感染症（COVID-19）の拡大を受け、全保険医療機関の医療従事者や職員に慰労金が支給される。厚生労働省は7月15日、2020年度第2次補正予算に盛り込まれた「新型コロナウイルス感染症対応従事者慰労金交付事業」の申請マニュアルを公表。初回の申請期間は7月20日～31日で、支給は早ければ8月下旬になる見込みだ。申請は8月以降も可能で、診療報酬の請求と重ならない毎月15日から末日までが申請期間となる。

■COVID-19患者受け入れ実績に関係なく支給

慰労金は3類型あり、最も高い20万円が支給されるのは、「都道府県から役割を設定された医療機関等」のうちCOVID-19患者を受け入れた医療機関等に勤務している場合。「役割を設定された医療機関等」でCOVID-19患者の受け入れがなかった医療機関等の場合は10万円、そのほかの保険医療機関や指定訪問看護事業者の訪問看護ステーション、助産所等に勤務している場合は5万円が支給される。慰労金の申請・給付は医療機関等が代理となって行う。

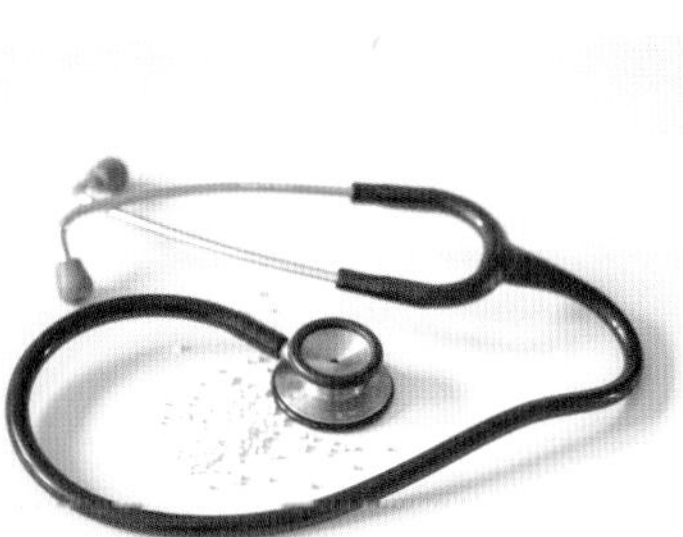

申請から受給までの流れは、①3類型の中から自医療機関の慰労金の基本的な金額を確認、②慰労金の対象となる医療従事者や職員を特定し、慰労金の代理申請・受領の委任状を集める、③申請書等を作成し、原則オンラインで国民健康保険団体連合会に提出、④都道府県が申請内容を確認後、慰労金を交付、⑤対象医療従事者・職員に慰労金を給付、⑥慰労金の給付終了後、1カ月以内を目途に都道府県に実績報告―となる。

■院内清掃や患者給食配膳も対象

慰労金の支給条件は、対象期間内に合計で10日以上勤務した「患者と接する医療従事者や職員」。対象期間は、各都道府県でCOVID-19患者1例目発生日または受入日（新型コロナウイルスに関連したチャーター便やクルーズ船「ダイヤモンドプリンセス号」から患者を受け入れた日を含む）のいずれか早い日から6月30日までの間。

診療部門や受付・会計といった窓口対応を行う職員に加え、診療に直接携わらなくとも医療機関内のさまざまな部門で患者に何らかの対応を行う職員、派遣労働者や業務委託受託者の従事者も慰労金を受給することができる。

厚労省担当官は対象従事者について、「患者と動線が重なるかどうか」との基準を示し、院内清掃や患者給食配膳などの業務も含まれるとしている。

危険を顧みず新型コロナの最前線で働く人々へ
さまざまな方法で気持ちを伝えあう

医療従事者への感謝

シールから始まった病院とパン屋の絆
コロナ対応の福井県済生会病院とオーカワパン

［9月13日　福井新聞］

新型コロナウイルス感染症の対応に当たる医療従事者への支援を機に、パン製造販売のオーカワパン（福井県坂井市）と福井県済生会病院（福井市）が交流を続けている。両者をつないだのは小さなシール。互いに感謝の心を寄せ合い、絆を強めている。

オーカワパンは第1波さなかの5月、「ありがとう」と書かれた花びら形の約1センチのシールを手作業で貼り付けたパン2700個を済生会病院に贈った。これに対し同病院看護師が「シールを集めて、花いっぱいの木にしてお返ししよう」と呼びかけ、通路の壁に模造紙を掲示した。賛同の輪が広がり、縦55センチ、幅80センチのアートが完成した。「感謝の木」と名付けオーカワパンに贈った。

オーカワパンは思わぬ返礼に感激、アートをモチーフにした木と同社のキャラクター「オムスク坊や」が医療服を着ている絵に「済生会病院の皆さまありがとう」というメッセージを添えたパンの包装パッケージをデザインし、納品した。

オーカワパンは「医療従事者の皆さんに逆に励まされてうれしかった。アートは額に入れて飾っている」と話した。感謝の木の制作を提案した看護師は「手作業で貼られた小さなシールを見たとき、心が和んだ」と振り返り、「感謝の気持ちを届けることができて良かった。心のつながりを感じている」と話した。

夜空に届け、悪疫退散
全国200カ所で
花火打ち上がる

［6月1日　朝日新聞］

全国各地で1日午後8時、一斉に花火が打ち上げられた。新型コロナウイルスに負けないように花火で元気や希望を届けたいと、若手職人らが企画した。観客の密集を避けるため、打ち上げ場所は事前には非公開に。47都道府県の約200カ所で、160超の業者が参加した。

名付けて「全国一斉悪疫退散祈願 Cheer up! 花火プロジェ

クト」。秋田県では、盛大な花火で有名な「大曲の花火」の会場となる雄物川河畔などで、医療従事者にエールを送る青色の花火や、虹色をイメージした花火が打ち上げられた。東京都内では調布市の多摩川河川敷などで打ち上げられ、道行く人たちが足を止めて夜空を見上げていた。

提供：朝日新聞社

打ち上げを手がけた「丸玉屋小勝煙火店」の小勝康平さん(38)は、「小規模だけど、終息へのシンボルになってほしい」と話した。

静岡県では浜名湖上で、大阪市では人工島の舞洲(まいしま)でそれぞれ打ち上げられた。打ち上げの様子は各業者が撮影し、ツイッターなどにハッシュタグ「#cheeruphanabi」を付けて投稿された。

プロジェクトは、日本煙火協会の青年部に所属する20～40代の若手花火職人ら11人が中心となって企画。「コロナ禍で暗い話題が多いなか、何か花火でできることはないか」と4月上旬からテレビ会議などで議論を重ね、全国の業者も次々と参加を表明していた。

池上彰の視点

ウィズコロナを見据えた医療改革を

新型コロナウイルス対応の最前線を担う医療機関では、予定入院・予定手術の延期や外来患者・救急搬送者の減少などによって経営面に大きな影響が出ています。すでに医療提供体制を経済的に支えるための診療報酬上の措置・特例も実施されていますが、必ずしも十分とはいえない状況です。新型コロナウイルスの影響はまだしばらく続きます。ウィズコロナ時代や新たな感染症を見据えた抜本的な医療改革を早急に進めることが必要です。

2020 News

06

あかるい社会・くらし

テレワーク

朝ラッシュ混雑2割減 テレワーク、時差出勤 呼びかけで

「朝ラッシュ混雑『2割減』
国交省、時差出勤呼びかけで」［3月6日 文・朝日新聞デジタル］

新型コロナウイルス対策で政府が呼びかけていた時差出勤やテレワークに関連し、赤羽一嘉国土交通相は6日の閣議後会見で、首都圏の平日ピーク時間帯（午前7時40分～同8時40分）の鉄道の混雑が、呼びかけ前より2割強減ったと発表した。

国交省によると、3月2～4日の乗客数が、ＪＲ山手線で最も混雑する区間の上野—御徒町間で約24％、新大久保—新宿間で約22％減ったという。また、首都圏の主要ターミナル駅（新宿、池袋など8駅）でのピーク時間帯の利用者が、2月中旬と比べて約21％減った。関西圏（大阪、京都など6駅）でも約14％減ったという。

満員電車による感染拡大を防ぐため、鉄道各社は国交省の要請に応じて、2月25日から車内や駅構内のアナウンスで時差出勤やテレワークを促していた。

国交省の担当者は「ある程度の効果は出ているので、今後も続けていきたい」としている。（贄川俊）

仕事や部活も、離れていてもつながる 一気に進んだオンライン活用

テレワーク

働き方変わる契機か テレワーク進める 情報通信業

［4月9日 大分合同新聞］

「体調はどうかな」

7日午後。大分市東春日町の情報通信業オーイーシー大分本社の会議室で、テレビ会議が始まった。

モニターに映し出された技術者たちの表情は明るい。ITソリューション部の小林弘幸部長（43）は笑顔を浮かべた。

「工程が結構あるね」「データの移行に時間がかかりそうです」。パソコンの画面を同時に見ながら、仕事の打ち合わせを進めた。

ICT（情報通信技術）を活用して出勤せずに仕事をする――。同社は現在、大分、東京、福岡、関西の4拠点で計40人余りがテレワークを取り入れている。

新型コロナウイルスの感染拡大で政府は7日、緊急事態を宣言した。同社は東京で働く社員の電車通勤を原則禁止にしている。ほとんどが在宅勤務だ。

これまでも社外で仕事ができる仕組みはあった。新型コロナの脅威が増した3月以降、システムを増強。対応できる人数を60人から160人にした。

社内で感染者が出た場合、社屋の消毒などで業務が滞るかもしれない。一方で、機密性の高い案件は情報流出を防ぐため、外部からのアクセスを許可できない。どの程度の職種までテレワークでカバーできるか、内部検討を続けている。

当初はコミュニケーションの不足が気になった。「テレビ会議で顔を見て声を聞ける。思ったよりも大丈夫だなと感じています」。プログラマーやシステムエンジニアを指揮する小林さんは手応えを口にする。

テレワークは多様な働き方の一助として注目され、国も普及を後押ししている。育児・介護と仕事の両立、出勤が難しい障害者の雇用、災害時の業務継続などにつながるメリットがあるとされる。

同社でも離職の抑止に一定の効果を上げてきた。今回、全社員の1割に相当する規模で運用するのは初めての経験だ。導入を手助けする立場として、県内企業からの問い合わせも増えているという。

社会を揺るがすコロナ禍は、日本人の働き方を問うている。人事総務部の立川庄之介部長（56）は語る。

「仕事のやり方が大きく変わる。その契機になるかも知れません」

「コロナに負けない」カンタービレ 那覇高吹奏楽部がリモート合奏動画公開

［6月4日　琉球新報］

那覇高校吹奏楽部が動画投稿サイトYouTubeでテレワーク合奏の動画を公開している。5月22日の投稿から、再生回数は5千回を超えている。動画は全国の高校で吹奏楽部に所属する生徒らがリモートで合奏する「コロナに負けるな!! 自宅で吹奏楽プロジェクト」の一環として作られた。

演奏した楽曲「みんながみんな英雄」の歌詞を引用し、同部はサイトのコメント欄で「私たちにはまだまだ新しい未来が待っています。先の見えない期間ですが、コロナウイルスに負けずに頑張っていきましょう!! ちばりよー!」と呼び掛けた。

寄せられたコメントには「とてもいい演奏ですね」「応援しています」といった励ましの言葉が並んだ。

顧問の高江洲奈(だい)教諭は「学校が始まってもしばらくは合奏ができないが、リモートでできてとても良かった」と喜んだ。3年の大城あい部長は「演奏を評価してもらえたり、多くの人に見てもらえたりしてうれしかった。お互いに元気を届け合うことができた」と力強く語った。

提供：高井天音

池上彰の視点

誰もが安心して働ける環境づくりを

テレワークには、業務効率化やワークライフバランスの向上などの利点があり、労働人口減少への対策としても期待されています。これに対し、医療や介護、生活必需品の販売などの仕事に従事するエッセンシャルワーカーは、そもそもテレワークが難しく、非正規雇用が多いという実態があるため、待遇・収入格差の一段の拡大が懸念されています。国・企業には、誰もが安心して働ける環境を整備し、格差を解消していく取り組みが期待されます。

2020 News 07

あかるい社会・くらし

ニューノーマルを楽しむ

自宅でも外食気分「おうち居酒屋」が流行中

「SNSで話題『おうち居酒屋』マンネリ解消、外食気分／愛媛」

［6月20日 毎日新聞］

「いらっしゃい！　まずは何にしましょうか？」。5月下旬の土曜日の夜、とある「居酒屋」が開店した。

家族で食事に行く機会はめっきり減った。何とか外食気分だけでも味わえないだろうか。会員制交流サイト（SNS）で話題の「おうち居酒屋」を体験してみた。

提供：毎日新聞社

おうち居酒屋に明確な定義はない。自宅でおつまみやお酒を準備し、店で食事をするような雰囲気を楽しむものだ。1歳になる長女の世話をするため、昨年11月に育児休暇を取得した。共働きのため、私が料理を担当。しかし最近はメニューのマンネリ化に頭を抱えていた。「せっかくやるなら本格的に」と、開店2日前からインターネットでリサーチ。入手したレシピを参考に「居酒屋っぽい」メニューを考え、材料を調達した。妻にお品書きを書いてもらい、雰囲気を演出。店名は「大衆居酒屋のぶちゃん」。長女に離乳食を与え、お風呂も済ませた午後8時。さあ、開店だ。

「まずは生ビールとポテサラをください」

妻からの注文を受け、調理開始。グラスを傾けつつ鍋を振るい、気分はすっかり「居酒屋の大将」だ。特に好評だったのは、大葉や長ネギ、塩昆布などたっぷりの薬味を混ぜたタレを絹ごし豆腐にかけた「しそネギ冷ややっこ」。一品料理では、鶏もも肉を弱火でじっくり焼いた「鶏のパリッと焼き」が自賛の出来だった。ともに簡単に調理でき、我が家の定番メニューになりそうだ。

長女を寝かしつけるために途中で1時間ほど休憩したが、午後11時ごろまでに計7品を提供し、閉店した。余った食材や仕込んでいた料理は翌日の昼食や夕食に活用したため、無駄になることはなかった。

妻は「『どれを食べようかな』とメニューを選ぶ楽しみを久しぶりに味わえた」とご満悦。私も新しい料理に挑戦でき、有意義な時間を過ごせた。唯一の心残りは、長女があまり参加できなかったこと。もっと多くの食材を食べられるようになる数年後、今度はお子様ランチもそろえた洋食屋「ビストロ　NOBU」でも開いてみようかな。

（真下信幸）

コロナ禍だからこそ生まれた娯楽 どんな状況でも工夫を凝らして楽しむ

ニューノーマルを楽しむ

外出自粛で〝おうちキャンプ〟 リビングにテント カレーも

［3月29日 文・NHK］

各地で不要不急の外出を控えるよう呼びかけられる中、SNSでは、少しでも気分転換しようと家の中にテントを張ってキャンプのような体験を楽しむ様子を投稿する人も見られました。

この週末、ツイッターには「外出自粛でおうちキャンプ」などといった書き込みとともに、部屋の中にテントを張った画像の投稿が複数見られました。

埼玉県内に住む会社員の大岡学さんは新型コロナウイルスの影響で外出を控え、妻と生後8か月の長男と3人で自宅で過ごしています。

外に散歩に出ることも難しいため、29日朝から家のリビングにテントを張ってキャンプ気分を味わいました。

カレーライスを作ってテントの中で食べたり、動画配信サービスを利用してたき火の映像を見たりして、なるべく本物のキャンプのように工夫して楽しんだということです。

大岡さんは「気持ちも暗くなりがちですが、制限のある中でも工夫しながら過ごすのもいいなあと思いました」と話していました。

提供：@ForMaterial

孫に宛てた縁日グッズ県外発送が祖父母に評判　周南／山口

［8月11日　毎日新聞］

新型コロナウイルスの感染拡大でお盆に帰省できない県外の孫へ、ヨーヨー釣りの道具など縁日グッズを発送する周南市のレンタル業者が始めたサービスがおじいちゃん、おばあちゃんに評判だ。

イベント用の物品を貸し出す周南市今住町の「レンタックス」は、イベント中止が相次いだ影響で、売り上げが前年同期比9割減の状況が3月から続いている。そこで、打開策として6月から物品の個人向け販売に力を入れてきた。「おうちでmini縁日」と銘打ち、ヨーヨーの ほかポップコーンの材料、ペーパークラフトなどを商品として提供し、県外発送も受け付けている。

提供：毎日新聞社

孫の年齢や性別などを聞いた上で予算に合ったセットを選定して提案。梱包（こんぽう）して発送する際には、箱の空きスペースに手紙や持参の玩具などを入れることもできる。

藤井一之社長（60）は「コロナ禍であっても貴重な夏。祖父母も孫も笑顔になれるよう、思い出づくりをお手伝いしたい」と話す。（脇山隆俊）

池上彰の視点

自分らしい生き方を探そう

コロナ禍で思うように外出ができず、ストレスを溜めている人がいる一方で、テレワークによる通勤ストレスの緩和などが幸いして自殺者数が減少傾向に。増加した自由時間を活かして新しい趣味を始めたり、家キャンプやオンライン飲み会などで自宅時間を積極的に楽しんだりする人も増えていて、ステイホームも悪いことばかりではないようです。今のうちから自分に合った家での過ごし方を探し、ウィズコロナ時代をどう迎えるか考えておくと良いでしょう。

2020 News 08

あかるい社会・くらし

深まる家族の時間

「家族の絆が深まった」コロナをきっかけに気付いた大切なこと

「コロナで気付いた家族の大切さ。冷たい性格だった夫が…」［5月16日　文・日刊SPA!］

新型コロナウイルスの影響で、人間の生き方が変わるのではないか――。

画像提供：ペイレスイメージズ/123RF.COM

グローバル化に突き進んでいた世界中で今、こうした議論がなされている。我々にとって身近なところで言えば「テレワーク」などは代表的な事例だろう。〝仕事をするためには会社に行かなければならない〟という概念がすっかり覆されてしまった。もしかすると、会社に行くことなど、たいして重要ではなかったのかもしれない。このように、コロナをきっかけに〝本当に大事なことが何なのか〟見えてくることもある。生活において、いちばん近くでも「変わった」ものがあるはずだ。

たとえば、夫や妻……。

コロナをきっかけに夫(妻)が別人のように変わった

「大手流通系企業に勤める夫は、平日の帰宅は絶対に23時過ぎ。休日は丸一日寝ているか、夕方頃に起きて子供と近場に出かけるぐらい。家族のこと、私のことなんてちっとも顧みない人、そう思っていました」

東京都内の専業主婦の玉田麻美さん（仮名・30代）は、ほんの数か月前までは夫のことを完全な仕事人間、良き家庭人とは言えず、冷たい性格だと思っていた。

それが今年2月以降、夫は人が変わったように家庭のことを気にするようになったという。

「神妙な顔つきで『話がある』と言われた時にはギョッとしましたが、新型コロナウイルスで世の中は大変なことになる、と大真面目に語り始めたんです。テレビのニュースは見ていたものの、大げさな気がして……。ただ夫は、それから家族を顧みていなかったわけではない、まずは十分な収入を家族のために得たいし、そのために働いてい

ることを理解してほしい、なんて言ってきたんです」（玉田さん、以下同）

夫は会社に掛け合い、自身の配下チームをいち早くリモートワーク体制に移した。上司からは「大げさな」と反対されても、「健康や命より大事なものはない」と断行したのだという。玉田さんやまだ小さい子供にも、夫は次のように指示を出した。

「買い物などの外出は俺がやる、自宅にいてばかりでツラいかもしれないが許してほしい、と諭されました。すでにコロナによる死者も出ているという報道がなされており、夫は『自分が死ぬのは仕方がないが、お前や子供だけは守る』と、日中に仕事をして、合間に買い物に行ってくれました。

自宅にいる私たちを飽きさせまいと、家でもできる楽しい体操の動画を探してきてくれたり、ホットプレートを買ってきて焼肉をしてくれたり。別人のように思いましたが〝家族のために〟という思いが仕事に向かっていただけだったのだと、愛を感じるようになりました」

いつの時代も「家族のために身を粉にして仕事する夫」というのはなかなか理解されない。今回のような非常事態に陥り、家族のためにすべき最優先事項が、仕事ではなく、家族との触れ合いになっただけ。変わらぬ家族への愛が可視化されたようだと玉田さんは話す。

男性だけではない、女性でも同じような「変化」を遂げた人がいる。

「大手アパレル企業に務める妻は、ほぼ全ての家事を自営業の私に任せて、月のうち半分が出張というハードなスケジュールをこなしていました。寂しくないと言えば嘘になりますが、妻のやりたいことを精一杯応援する気持ちでした」

都内在住のインテリアデザイナー・福士裕太さん（仮名・40代）の妻（30代）も、緊急事態宣言をきっかけに生き方を変えたという。

「妻の会社は、ほぼ全店舗が休業に追い込まれ、妻の仕事が全くと言っていいほどなくなりました。妻は『私から仕事をとったら何も残らない』と大きなショックを受けていましたが、共にリモートワークをするようになって、子育てや家事を手伝ってくれるようになりました。ありがとうなんて、何年ぶりだかに言ってくれたりして（笑）」（福士さん）

仕事ができるのも、夫が家を守り、子供が元気に育っているからこそ。仕事も家族も、そのどれもが欠けてはならない。妻はそう気がついたのだ。「コロナのおかげで家族の絆が深まった」（福士さん）というような例はまだある。

■今いちばん大事なことは何か、改めて気づかされた

夫妻でテレビマンという、神奈川県在住の佐々木努さん（仮名・40代）の話。

「妻と私は、都内の某キー局勤務です。私は報道部署、妻は制作部署で互いに〝超〟がつく忙しさ。朝、子供を保育園に預けてから、迎えはどちらか行ける方に、場合によっては時間外保育に預け、迎えが21時近くにな

ることも。子供には申し訳なかったですが、仕方ないと割り切っていた」（佐々木さん）

コロナ騒動の渦中にあり、どうしても休めない業種と言えば、医療関係の他に「保育園」も含まれていた。どうしても仕事に行かなければならない親にとって、小さな子供を自宅に残すわけには行かず、保育園の存在は何よりも重要だった。

ところが、三密状態を避けられず、ウイルス感染のリスクが高い保育園に子供を預けることが本当に正しいのか。自分の子供だけでなく、他の園児や保育士も危険に晒されている。そう思うと、自分の仕事など優先順位は低いと考えるようになった。

「私たちは何のために仕事をしているのか、妻とも改めて話をしました。仕事をするために一緒になった家族ではありません。家族が第一で、そのために仕事をしていると気がつきました。

テレビ局、特に報道の現場は非常事態に機能していないとダメですから、今もそれなりに出勤はしており、妻も放送をやめてしまう、ということはできないので、やはり頻度を減らして出勤をしている。それでも、子供を一番に考えようと、会社にも直談判し、リモートワークなどに移行してもらえることになりました」（佐々木さん）

ほんの2～3か月前、いわば平和な時代の〝当たり前〟の感覚が、ここにきて大きく変わってきている。新型コロナウイルスの脅威に晒されるなか、本当に大切なものは何か、多くの人々が今考え始めているのだろう。（山口準）

池上彰の視点

よりよい未来を見据えて家族のあり方を考える機会

コロナ禍によるリモートワークの増加や外出自粛、休校などによって、夫婦や家族で過ごす時間が増えましたが、残念ながらコロナDV、コロナ離婚というワードも注目を集めています。ストレスを強いられているのは誰しも同じです。いちばん身近な人だからこそ、相手を深く思いやり、未来志向で関係性を進化させていくことが求められます。この機会に、家族やパートナーとこれからの生活や将来についてしっかり話し合いたいですね。

2020 News 09

あかるい社会・くらし

7月豪雨のあとで

豪雨復旧に県民ボランティア「熊本パワー」結集

「豪雨復旧へ熊本一丸　土日生かし『なんとかしたい』県民ボランティアが奮闘」

［7月20日　文・西日本新聞］

熊本県南部を中心とした4日の豪雨で被災した地域に18、19の両日、休日を活用して多くの災害ボランティアが集まり、本格化する復旧作業をサポートした。各地の災害ボランティアセンターが新型コロナウイルス感染防止のため募集を県民に限定する中、熊本地震の復旧復興を経験した「熊本パワー」が被災地に元気を与えている。

同県球磨(くま)村渡地区の民家では19日、熊本市などから集まった11人が作業に当たった。球磨川の濁流の痕跡が2階の壁まで残る現場で、土砂や水没した家具の搬出に汗を流した。

作業リーダーを務めた同県菊陽町の会社員の男性は「県民としてなんとかしたかった。難しい状況でみんな頑張った」と、泥の付いたマスク越しに力を込めた。地区を離れる際には、住民たちが「元気をありがとう」と笑顔で見送った。

同県人吉市では高齢者の1人暮らしで、被災からほとんど手つかず状態の民家にボランティアが手を貸した。熊本市から駆け付けた飲食店従業員の女性（34）は、暑さと大量の泥のにおいに悩まされた。それでも泥の中から仏壇の位牌(いはい)や鈴を見つけることができた。「『ありがとう、ありがとう』と手を合わせてもらった。本当に来て良かった」

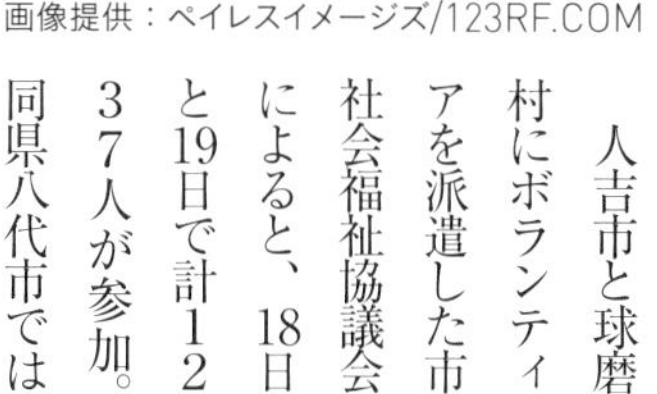

画像提供：ペイレスイメージズ/123RF.COM

人吉市と球磨村にボランティアを派遣した市社会福祉協議会によると、18日と19日で計１２３７人が参加。同県八代市では計４４７人が参加した。ボランティアに加え、親戚や知人、職場の同僚らが、片付けを手伝う姿も見られた。

片付け作業の終わりはいまだ見通せない。19日の午前中は太陽が照り付け、午後には激しく雨が降った。人吉市では最高気温31・7度を観測。マスクを着けたボランティアは蒸し暑さに悩まされた。被災地の各消防本部によると、ボランティア1人と作業中の住民2人が熱中症で搬送された。

球磨村の中渡徹防災管理官は「ボランティアの皆さんに心から感謝したい。倒壊しかけた家屋などが多くあり、二次災害に巻き込まれないようくれぐれも注意してほしい」と呼び掛けている。（中野剛史、鶴智男、黒田加那）

「もう離れるつもりはない」豪雨で気づかされた、ふるさとへの思い

7月豪雨のあとで

2週間たっても一面茶色 それでも「ここが好き」熊本・人吉で実感したふるさと愛

［7月18日　毎日新聞］

「まだ夢なんじゃないかと思っています。また元に戻れるんじゃないかと……」。自宅の敷地にたまった泥をかき出しながら、佐藤隆文（仮名）さんはつぶやいた。4日に熊本県南部を襲った記録的な豪雨。球磨川が氾濫し、人吉市中神町では2カ所の堤防が決壊した。大柿地区にある両親と妻、2人の子供と暮らしていた自宅は2階まで浸水した。流れ込んだ泥は、発生から2週間がたってもあたり一面を茶色に染めたままだ。

大柿地区は球磨川と山に囲まれたのどかな田園地帯。日中でも球磨川のせせらぎが聞こえ、この時期は夕方になるとヒグラシの鳴き声が響いた。虫がたくさん捕れ、子供たちも気に入っていた。

そんな光景は一変した。4日朝、夜勤明けだった尾方さんは職場にいた。増える雨量に家族が心配で、仮眠も取らず情報を集めた。上流の市房ダムが緊急放水の予定と聞いて午前7時過ぎに妻に避難するように連絡。緊急放水は見合わせとなったが、約2時間後に自宅は濁流にのまれた。午後4時ごろ、避難先の施設で家族と再会できたときは涙が止まらなかった。

大柿地区では犠牲者は出なかったが、爪痕は大きかった。会社勤めの傍ら、父を手伝って米やショウガ、トマトなどを作っていた1・5ヘクタールの田畑は全滅。自宅に隣接する畑には近くの建設会社の倉庫が建物ごと流れてきて、家5軒分の木材が山を作っていた。

「前は『こんな田舎』と思っていました」と佐藤さんは打ち明ける。仕事の関係で20代を大阪で過ごし、家を継ぐために30代前半で人吉に戻ったが、趣味のスポーツ観戦もままならず、市内には映画館もない。「ずっと大阪に戻ることばかり考えていました」

だが変わり果てたふるさとを見て「何もないのがよかった」と思うようになった。「家族と過ごす平穏な日々がどんなに幸せなことか。こんなことになって、ああここが好きだったんだと気づかされました」

日常は戻ってくるのか。「もうここに住むことは考えられん」。氾濫から10日たってもな

お、ふくらはぎまで泥がたまる農機具小屋で父の吉幸（仮名）さんは肩を落とした。戦後最大とされた「昭和40年7月洪水」（1965年）も経験したが、自宅にはくるぶしの高さまでしか水が来なかった。先祖代々受け継いできた土地は吉幸さんで16代目となるが、それでも「それよりも命が大事」と断言する。家は取り壊し、農機具小屋だけを残すつもりだ。

一方、佐藤さんの心は揺れる。「できれば僕はここに住み続けたい。けど、またいつ水害が起こるかわからない」。今は近くの別の地区にアパートを借りて家族で移り、そこから片付けに通っている。

「離れるにしても、原付きバイクで来られるくらいの距離がいい。もう人吉から離れるつもりはないです」。泥がかき出されて少しずつ広くなっていく敷地を見ながら、「ここ」への思いを強くしている。（徳野仁子）

提供：毎日新聞

池上彰の視点

災害対応においても コロナ対策が必須に

新型コロナウイルスの影響は災害支援や災害復興にも及んでいます。九州南部で発生した7月豪雨では、災害発生から10日後に、県外から派遣された保健師の新型コロナウイルス感染が判明。ボランティアは県内からに限定され、人手不足が復興の足かせになりました。今後の災害対応において、感染症対策が必須となるのは間違いなく、AI技術などを活用した科学的な災害予測や防災対策と両輪で、対応を強化していくことが必要になるでしょう。

2020 News
10

あかるい社会・くらし

まちのヒーロー

「世界をつなげる応援を」オリンピックおじさん受け継ぐのは僕

「今は亡き「オリンピックおじさん」来年の夏、受け継ぐのは僕」［7月26日 東京新聞（共同通信）］

「五輪おじさん」と呼ばれ、昨年3月に92歳で亡くなった山田直稔さんの孫で、中学2年の蔵之輔さん（13）＝東京都江東区＝が、来夏開幕予定の東京五輪を楽しみにしている。「世界中の人をつなげられるような応援をしたい」。祖父譲りのシルクハットと日の丸入りの扇子もそのまま使うつもりだ。

■愛用の扇子には「東京」の文字

蔵之輔さんは、根っからのおじいちゃん子。「くらちゃん」と呼ばれ、4歳から取り組む体操の大会で活躍してメダルを獲得すると喜んでくれたという。「いつも笑顔のおじいちゃんが大好きだった」と振り返る。

山田さんは、ワイヤロープ販売会社を経営する傍ら、1964年東京大会から2016年リオデジャネイロ大会まで全ての夏季五輪を現地で観戦。羽織はかま姿で金色のシルクハットをかぶり、満面の笑みで声援を送る、まさに日本の応援団長だった。

五輪観戦に訪れる前には、愛用の扇子に開催地を書き込むのが恒例で、既に東京の文字も刻まれていた。昨年2月に体調を崩して入院した際にも、家族が病室に愛用のシルクハットと扇子を持ち込んで「東京五輪に行こう」と励ましたが、夢はかなわなかった。

■声援はダメでも大きな拍手と扇子で

葬儀で「2代目の応援団長をやります」と宣言したという蔵之輔さん。山田さんが世界中の人々と笑顔の交流を続け、応援を通じて互いを認め合い、尊重することで平和と友好を訴えたことを「途切れさせてはいけない」との一念からだった。

東京五輪のチケット抽選で、唯一当選したのがバレーボール女子の3位決定戦。新型コロナウイルスの影響による大会延期も、来年の応援に向けた準備期間と前向きに捉えている。

「五輪は華やかで、みんなが幸せになれる舞台」。感染拡大防止の観点から大声での応援はできない可能性があるが、「目立つ拍手と扇子を大きく振って一生懸命盛り上げる」と目を輝かせた。

提供：共同通信

社会のつながりが希薄になる中、勇気ある市民の活躍がまちを支える

まちのヒーロー

声を掛けるのは怖かったが…銀行で改装作業中の男性特殊詐欺被害防ぐ

［8月12日　長崎新聞］

浦上署はこのほど、特殊詐欺被害を防いだとして、屋外広告美術業ヤマモト（諫早市）の山本洋介社長に署長感謝状を贈った。

同署と山本さんによると7月8日夕、十八銀行本原支店に60代の高齢男性が来店。メモ紙を見ながら現金自動預払機（ATM）の前で「どこに振り込めばいいですか」などと携帯電話で話していた。山本さんはそばで改装作業中だった。

提供：長崎新聞社

不審に思い、電話中の男性に手で合図をしたり、耳元でささやくなどして切るように説得。知らせを受けた支店長が交番に通報した。

男性の携帯電話には「有料サイトの未納料金があります」と「NTTファイナンスサポート」を名乗るショートメールが届いた。記載された番号に電話したところ、約16万円振り込むよう求められたという。

池園直隆署長は「銀行員以外の人が詐欺を疑って声を掛けるのは勇気がいる。おかげで1人救えた」とたたえた。山本さんは「初めてのことで声を掛けるのは怖かったが、未然に防止できて良かった」と話した。

夜の山道先導、遭難救助に貢献　大村署、渡辺さんに感謝状／長崎県

［6月12日　朝日新聞］

遭難した登山者の救助に貢献したとして、長崎県警大村署は11日、同県大村市木場2丁目の渡辺利博さん（74）に感謝状を贈った。夜の山中で署員5人を先導し、標高差約400メートルを5時間かけて往復。全員を無事に帰還させた。

5月24日午後5時43分、大村市と佐賀県鹿島市の境にある多良岳山系・経ケ岳（標高1076メートル）をめざす途中で迷った長崎県内の男性（38）から、助けを求める電話が署にあった。署は渡辺さんに協力を要請。日没後の午後7時48分、渡辺さんと署員5人はヘッドライトをつけ、平谷黒木トンネル

（大村市黒木町）近くの登山口を出発した。

渡辺さんを先頭に、暗闇の中、石がゴロゴロとしている登山道を、道順を示すテープを一つずつ確認しながら約2キロ前進。午後10時5分、待っていた登山者を保護した。同じ経路を戻り、25日午前0時37分、登山口に全員、無事に帰還。日没で救助へリが出動できず、地上の救助隊だけが頼りの救出劇だった。

渡辺さんは県山岳・スポーツクライミング連盟の遭難対策委員長。遭難救助には数え切れないほど協力してきた。24日は朝から県内でロッククライミングを指導。帰宅して風呂から上がったところ、要請の連絡があったという。感謝状を受け取った渡辺さんは「署員、要救助者、私、みんな家で待っている家族がいる。夜間の登山でもあった。二次遭難を起こさないよう神経を使いました」と話した。（中川壮）

提供：朝日新聞

池上彰の視点

地域の暮らしを地域全体で支える

町内会や自治会、子ども会など、日本には古くからさまざまな地域コミュニティがあり、地域の人たちが支え合いながら暮らしてきました。しかし、現在は都市部を中心に地域のつながりが希薄となり、高齢者の孤立や児童虐待などの問題にも目が届きにくくなっています。地域の安全を守り、誰もが安心して年齢を重ねていける社会をつくっていくためにも、今、改めて地域コミュニティの重要性を見直してみるべきではないでしょうか。

2020 News
11

多様性のある社会

手話が共通言語のスターバックス日本初出店

「手話が共通言語のスタバが開店へ
27日、東京・国立で」［6月24日　文・共同通信］

スターバックスコーヒージャパンは24日、健聴者と聴覚障害のある従業員が共に働き、「手話が共通言語」となる店舗を東京都国立市に27日オープンすると発表した。国内では初めてで世界では5店舗目となる。多様な人々が自分らしく過ごせる居場所の実現を目指す取り組み。

サイニングストアと呼ぶ新店舗で、注文は手話のほか、指さしメニューシートや筆談具、音声入力ができるタブレット端末でできるようにし、コミュニケーション自体を楽しめる工夫を凝らした。オープン時には25人の従業員のうち19人が聴覚障害者となる。

提供：スターバックス コーヒー ジャパン

どんな立場の人も生きやすい社会へ 少しずつでも前進を

多様性のある社会

福井の盲学校生の詩、全国音楽祭採用 8月配信「社会へ踏み出す力に」

［7月16日 福井新聞］

障害のある人がつづった詩に曲を付けて披露する全国規模の音楽祭「わたぼうし音楽祭」に、福井県立盲学校保健理療科3年の山本弘樹さん（50）＝福井市＝の詩が採用され、公募の曲も付けられた。「曲を聴いた視覚障害者が、社会へ踏み出す気持ちを持ってくれたら」と8月2日のインターネット配信を心待ちにしている。

わたぼうし音楽祭は、社会福祉や文化活動に取り組む奈良市のボランティア団体「奈良たんぽぽの会」が毎年夏、奈良県で開いている。45回目となる今年は、8月2日に祭典を開く予定だったが、新型コロナウイルスの影響で中止され、同日にインターネットで曲を公開することにした。

山本さんの詩「あなたの心にそっと感謝して」は、盲学校でのマッサージの実習風景が題材。「表情は見えないけれど」、施術の中で確かに感じられる相手のやさしさを描き、「社会復帰に夢のせて　出来ると信じて　私はあきらめない」と強い思いも込めた。「働くこと、生きていくことの喜びが豊かに表現されている」と高い評価を受け、47都道府県から寄せられた354点の中から、8点に選ばれた。

山本さんは、ホームセンターに勤めていた30代の時に糖尿病網膜症を発症。手術を経ていったんは職場に復帰したが、視力は次第に失われ退職を余儀なくされた。「あん摩マッサージ指圧師」の資格取得を目指し46歳の時に県立盲学校に入学。国語の授業で詩を学び、これまで詩のコンクールに意欲的に作品を応募してきた。

山本さんは「視力を失った自分にとって、詩は貴重な自己表現の場。明るく軽やかな音楽も付いたので、音楽祭での発表が待ち遠しい」と喜んでいる。山本さんの詩は「たんぽぽの家」のホームページで見ることができる。

日本航空「Ladies and Gentlemen」廃止 性的マイノリティー配慮

［9月28日 毎日新聞］

日本航空は機内や空港の搭乗口で英語の案内アナウンスをする際、「Ladies and Gentlemen」（淑女、紳士の皆様）の呼び掛けを9月末で取りやめる。性別を前提とした英語表現だとして、日航は「性的マイノリティーのお客様が不快な思いをしないように」と廃止を決めた。10月1日から新しいアナウンスに変更する。

機内で、客室乗務員は旅客の搭乗や降機、飛行中のサービス開始の際、英語のアナウンスの始めに「Ladies and Gentlemen」と必ず敬称をつけていた。社内のマニュアルに基づいた対応で、国際線だけでなく、外国人の旅客が搭乗している国内線の便でも使っていた。搭乗口では、地上旅客係員が搭乗時刻の案内の際にアナウンスしていた。

日航は2014年に「ダイバーシティ宣言」をし、性別や年齢、国籍、人種、宗教、障害の有無、性的指向、性自認などの属性によらず、多様な人材が活躍する環境の創造に取り組んでいる。その一環として、英語アナウンスの変更を決め、マニュアルも改める。

10月から全社的に、客室乗務員は「Good morning/Good afternoon/Good evening everyone」（おはようございます、こんにちは、こんばんは。皆様）や「Attention all passengers」（皆様にお知らせいたします）を使う。地上旅客係員のアナウンスもほぼ同じ内容にする。

性別を前提とした敬称は、ニューヨークやロンドンの地下鉄も取りやめている。

こうした対応に、機内で「Ladies and Gentlemen」を使用している全日本空輸は「お客様からの声などを踏まえ、社内で検討する」と説明している。（中村宰和）

池上彰の視点

誰もが生きやすい社会を目指すには自ら考え、行動することが大切

障がいのある人やLGBTQ※などの性的マイノリティーの人々への差別や偏見は根強いものがある一方で、状況を「変えよう！」と、デモに参加するなど、実際に行動を起こしている人も大勢います。国や企業による取り組みももちろん大事ですが、それ以上に大切なのは、私たち一人ひとりが他人事にせず、多様な考え方やライフスタイルを受け入れ、互いに尊重し合うこと。すべての人が自分らしく暮らせるように、日頃から関心を寄せることが第一歩です。

※LGBTQとは、レズビアン、ゲイ、バイセクシャル、トランスジェンダー、クエスチョニング、クィアの人々をさします。

新駅

約50年ぶりのJR新駅「未来をイメージできる駅」高輪ゲートウェイ駅開業

「見た目は和風でも未来感満載
高輪ゲートウェイ駅が開業」

［3月14日　朝日新聞デジタル］

JR山手線・京浜東北線の品川―田町間に14日、新駅「高輪ゲートウェイ」（東京都港区）が開業した。「未来をイメージできる駅」を掲げ、乗り換え案内や清掃などは人工知能（AI）を搭載したロボットが活躍。23日には、構内に無人決済コンビニが開店する。一方、新型コロナウイルスの感染拡大を受けてJR東日本は開業式典を中止し、駅前の特設会場で19日に開幕するはずだった関連イベントも大幅に延期された。

山手線に新駅が誕生するのは1971年の西日暮里（にしにっぽり）駅以来で、30番目の駅となる。車両基地の跡地に立つ新駅の周辺は、まだがらんとしたまま。しかし、シャッターが開く前の午前4時ごろ、改札に通じるデッキには、すでに一番乗りをめざす鉄道ファンら約350人が詰めかけた。午前4時35分、山手線初電の内回り電車が到着すると、ファンらは拍手で下車する乗客を出迎えるとともに、しきりに写真を撮りながら乗り込んでいった。

千葉県我孫子市から訪れたという会社員秋山昇さん（仮名）は「木材を多く使い、和の雰囲気が強い駅舎と、近未来的なロボットの組み合わせが面白い。カタカナ交じりの駅名も次第に慣れていくと思う」と話した。

中村多香駅長は「駅を訪れるお客様には、木のぬくもりを感じてもらいたい。新型コロナウイルスの影響で開業式典が中止になったのは申し訳ないが、消毒液の配備など感染拡大防止に力を尽くす」と述べた。

2020年に新駅続々誕生
駅としての機能だけでなく新名所となるか

新駅 原宿旧駅舎「96年間ありがとう」ガラス張りの新駅舎開業

［3月21日 文・朝日新聞］

東京都内に現存する最古の木造駅舎とされるJR原宿駅（渋谷区）の旧駅舎が役割を終え、21日朝に新駅舎が開業した。旧駅舎は東京五輪・パラリンピック終了後に解体される予定だ。

1924（大正13）年に完成した旧駅舎は、屋根上にある小さな尖塔が印象的な欧風のデザインで知られた。JR東日本によると、法律が定める耐火性能を保てないため、取り壊すことになった。跡地の再開発では、外壁のデザインなどを再現した建物に建て替えるという。

新駅舎は2階建てで、1階にコンビニ、2階にカフェが入る。床面積は4倍に広がり、ガラス張りのコンコースは開放的な雰囲気になった。山手線ホームは2本に増え、それぞれ外回りと内回り専用となった。出入り口は竹下口と表参道口（東口）に加え、新たに明治神宮側に西口ができた。

21日午前1時10分過ぎ、旧駅舎のシャッターが下ろされると、整列した駅員が「96年間ありがとうございました」と頭を下げた。長く親しまれた建物の姿を写真に収めようとする人の姿もあった。

渋谷区で生まれ育ったという曾我部学さん（仮名）は「ファッションなど常に先端を行く街でも、変わらず周囲に溶け込む魅力があった」と惜しんだ。（細沢礼輝、兼田徳幸）

画像提供：momo / PIXTA（ピクスタ）

日比谷線全線開業以来の新駅、「虎ノ門ヒルズ駅」開業…周辺はビジネス街に

［6月6日　読売新聞］

東京メトロ日比谷線の新駅「虎ノ門ヒルズ駅」（東京都港区）が6日、開業した。駅周辺の再開発エリアに直結し、臨海部とを短時間で結ぶバスも発着する予定で、新たなビジネス・交通の拠点として期待される。

虎ノ門ヒルズ駅は霞ヶ関駅―神谷町駅間に位置し、日比谷線では、1964年の全線開業以来初めての新駅。銀座線・虎ノ門駅とも地下道でつながり、乗り換えできる。

森ビルなどが2023年の完成を目指す大型複合ビル群と直結するほか、臨海部とを結ぶBRT（バス高速輸送システム）も発着する予定。駅周辺は将来、3万人規模のビジネス街となる見込みだ。

6日は、新型コロナウイルスの影響で式典は見送られたが、地下1階のホームには多くの人が訪れ、真新しい駅構内を見学した。

新駅は東京メトロと「都市再生機構（UR）」が16年から建設。総事業費は約360億円の見込み。

提供：読売新聞

池上彰の視点

新駅、新駅舎が街に新風をもたらす

2020年に入り、都内では次々と新駅や新駅舎が誕生しています。新型コロナウイルスの影響で報道は控えめでしたが、新しい駅ができると、新しい人の流れが生まれ、地域が活性化します。また、観光資源としての価値も高く、虎ノ門ヒルズでは新駅の開業に合わせて、新たな商業施設がオープンし、相乗効果を生み出しています。新駅、新駅舎を楽しめるのは、今の時代に生きている私たちの特権です。移動に、観光に、最大限活用していきましょう。

2020 News 13

あかるい社会・くらし

あつまれ　どうぶつの森

人気ゲームでバーチャルでも美術館の魅力味わう

「『あつ森』に収蔵品、拡散期待
横須賀美術館、人気ゲームに7点提供／神奈川県」

［7月22日　文・朝日新聞］

コロナ禍のステイホームで人気を集めた任天堂のゲームソフト「あつまれ　どうぶつの森（あつ森）」で、横須賀市の横須賀美術館が所蔵作7点を提供している。画像をダウンロードできるQRコードの公開を始めて間もなく2カ月。バーチャル空間に飾られる作品を通し、プレーヤー間で横須賀美術館の魅力が拡散されることを目指す。

■「ぜひ足運んで本物目にして」

あつ森は、ゲームの無人島に移住し、自然に囲まれた生活を楽しむニンテンドースイッチの人気ゲーム。暮らしを豊かにする様々なアイテムをオンライン上で追加できるのが特徴だ。攻略を進めて家を建てれば、絵画などをダウンロードして飾ることができる。

同美術館が所蔵作の提供を始めたのは5月末。近代絵画家の大家、浅井閑右衛門（1901～83）がアトリエを構えた横須賀市・田浦地区の情景を描いた「電線風景」（1950年）など計5人の作品を選んだ。

あつ森へアプローチしたのは、同美術館の学芸員、日原清水さん（43）だ。コロナウイルスの影響で臨時休館し、リモート勤務に入っていた5月上旬、米ニューヨークのメトロポリタン美術館や東京・丸の内の三菱一号館美術館など、名だたるミュージアムの所蔵作がゲームの中で飾られているのを知った。

日原さん自らも、ステイホーム中にあつ森のプレーヤーとなった一人。「うちの作品を飾ってくれる人がいるかな？」と思い、あつ森への参画を同僚に提案。週刊新潮の表紙絵で有名な谷内六郎（1921～81）と並ぶ横須賀美術館の収蔵作の柱、浅井閑右衛門の作品など7点の提供を決めた。

あつ森への作品提供は、思わぬ効果も生んでいる。同美術館広報係の八島裕子さん（41）は「あつ森での取り組みがSNSで拡散している」。たとえば7月初め、提供作の一つである「金魚」を制作した北海道出身の洋画家、三岸好太郎（1903～34）の名を冠した三岸好太郎美術館（札幌市）が、「三岸の『金魚』があつ森に登場している」とツイッターに投稿し、拡散を続けているという。

横須賀美術館は6月20日、3カ月半ぶりに開館。開催中の「第2期所蔵作品展」では、あつ森に提供した浅井の「薔薇」（1983年）や三岸の「金魚」（1933年ごろ）などを展示した。2007年4月の開館から数えて来館者150万人の突破も間近といい、八島さんは「ぜひ美術館にも足を運んでもらい、本物作品も目にしてほしい」と話した。（佐々木康之）

画像提供：©2020 Nintendo

オンライン時代の交流のあり方
ゲームを活用したイベントやキャンペーンも注目を集める

あつまれ　どうぶつの森

東京消防庁が「ボウサイ島」に移住？
人気ゲーム「あつ森」で防災啓発

［7月19日　文・毎日新聞］

　東京消防庁が人気ゲームソフトを使った防災活動への挑戦を始めた。新型コロナウイルスの感染拡大で、地域で顔を合わせながらの防災訓練を行うのが難しくなる中、任天堂の「あつまれ　どうぶつの森」（あつ森）を通じて防災への関心を高めてもらうという試みだ。16日にはツイッターで職員がデザインした制服などのゲーム画面を公開した。ゲームとソーシャル・ネットワーキング・サービス（SNS）を融合した取り組みに注目が集まっている。

　あつ森は任天堂のゲーム機「ニンテンドースイッチ」用のソフトで、日本や米国などで3月に発売された。ゲームではプレーヤーが無人島に移住して虫や魚を捕ったり、島のインフラを整備したりしながらスローライフを楽しむことができる。ほのぼのとした内容や自分の好みで服や家具をデザインできる自由度の高さが魅力で、コロナの影響で世界中で外出が制限される中、発売から6週間で1341万本の爆発的な売り上げを記録した。

　東京消防庁震

提供：東京消防庁

災対策課の男性職員も発売直後にソフトを買った一人だった。妻や子どもが楽しそうに遊ぶ様子を見て「自分でデザインすることが面白く、この人気は防災活動に使えるのでは」と思いついた。コロナで対面が難しくなる中、長年続けてきた地域や学校での防災訓練を行うのが難しくなっており、頭を悩ませていた時期だった。

東京消防庁が「移住先」の島に名付けたのは「ボウサイ島」。職員がデザインした防火衣やレスキュー隊の制服を島内に建てた家の中に飾った様子の画像を16日に公式ツイッター（https://twitter.com/Tokyo_Fire_D）に投稿すると、「（東京消防庁の）中の人すごい！」「あつ森で防災もあるのか！」などのコメントが添えられたリツイートが翌日までに500件にも上った。

現在は、手始めとして制服などの画像の紹介だけにとどまっているが、今後は防災への関心を高めてもらうため、消火栓や避難誘導灯などの消防インフラ類もデザインする予定だ。地震が起きると危険な家具の配置や火事になりやすい状況もゲーム内で再現して投稿し、注意を喚起する計画もある。

東京消防庁によると、行政機関があつ森を活用して広報活動するのは初めてだという。担当者は「ゲームを通じて防災に少しでも興味を持ってほしい。こちらが作った服や家具のデザインをみなさんの島で使ってもらうことも考えている」と話している。（最上和喜）

池上彰の視点

オンラインでも思いやりを大切に

「あつ森」の大ヒットは、オンラインでのつながりが世代を問わず一般化している証拠といえるでしょう。SNSやメッセージアプリを用いたオンラインでの交流は、すでに“なくてはならないもの”になりつつありますが、その一方で誹謗（ひぼう）中傷や名誉毀損（きそん）などのトラブルも増加しています。また、ネット上での何気ないひと言が、自殺に追い込むケースもあります。オンラインでもリアルと同様に、思いやりや心遣いを大切にしてください。

藤井聡太八段

藤井聡太 棋聖に続き王位へ 史上最年少で二冠

「『4連勝は望外。課題も見えた』藤井新王位
強さ底なし、二冠は通過点か」

［8月21日　西日本新聞］

■「分岐点で勝負」が的中

第61期王位戦7番勝負第4局で、藤井聡太新王位（18）は、「封じ手」からの再開直後に木村一基前王位（47）に攻勢をかけ、圧倒的な強さを見せた。最年少での二冠獲得と八段昇段にも、いつものように喜びは控えめだった。「4連勝という結果は望外。実力以上の結果が出たのかなという気はします」。予選から負けなしでの堂々の完勝。一見穏やかな18歳の、底知れない強さが際立った。

20日午前9時からドラマチックな展開は待っていた。1日目の終盤に36分考えた封じ手は「8七同飛成」。飛車を逃がす手もあったが、選んだのは飛車を犠牲にする手。悪い方に転ぶ可能性があるが、「局面として分岐点。少しいかなと思ったけど勝負した」。

この手が功を奏し、2日目は序盤から激しい展開に持ち込んで攻勢に立った。右肩を落とした前傾姿勢で盤面を凝視。時折、前後に体を揺らしながら指し回す。初めての2日制対局戦にもかかわらず、落ち着いて相手を追い詰めた。午後4時59分、木村前王位が投了を告げると、深々とお辞儀をした。

提供：西日本新聞

「タイトル戦で自分の課題も見えた。そういったところを改善して、強くなっていきたい」。終局後、福岡市内のホテルで開かれた記者会見でも勝利の喜びより、向上心、課題についての言葉が目立った。

新型コロナウイルスの影響で2カ月弱対局がなかったことも「普段以上にじっくり将棋に取り組めた」と前向きに捉える。デビュー当初は序盤、中盤で崩れる場面があった。今は「中盤の指し回しはデビュー当時と比べたら成長できている」と自信を持っている。

師匠の杉本昌隆八段（51）は「プロ入り後の29連勝が第1次、今は第2次藤井ブームです。いずれ複数冠を取ると思っていたけど予想以上に早い」と舌を巻く。

藤井新王位は25歳前後が自身のピークとみるが、将来について問われると「強くなるという目標はどこまでいっても変わらない」。どこまで強くなるのか。二冠はほんの通過点にすぎないようだ。（小川祥平）

ひたむきな努力と華々しい活躍
地元に被災地に、日本全国へ希望を届けた

藤井聡太八段

「藤井二冠」祝う懸垂幕 瀬戸市役所に設置、市民喜び

［8月22日 中日新聞］

二十日の王位戦第四局制して史上最年少で二冠を達成した瀬戸市出身の高校生棋士、藤井聡太八段（十八）。勝利から一夜明けた同市では、市役所などに偉業をたたえる懸垂幕や横断幕が掲げられ、住民からも喜びの声が聞かれた。

市役所には「祝　プロ棋士　藤井聡太さん　史上最年少二冠・八段昇進」と書かれた縦十メートルの懸垂幕が、観光拠点施設の瀬戸蔵では同じ内容の横七・二メートルの横断幕がそれぞれお目見え。市役所を訪れた同市品野町のパートの女性は「市民としてうれしい」と目尻を下げた。

瀬戸蔵では市の看板娘「せとちゃん」を描いた星取表を掲示してきた。タイトルを獲得し、せとちゃんに王冠がかぶせられ、同市原山町の男性は「かわいいね。藤井さんはスター。彼のおかげで将棋が身近になった」と笑みをこぼした。

二十日の対局中は地元FMラジオ局が特番を放送し、夜には名鉄瀬戸線尾張瀬戸駅などで本紙号外が配布された。号外を受け取った同市八床町の男性は「地元ということで注目していたが、本当によくやった。瀬戸の誇り」と話した。（吉本章紀）

提供：中日新聞

王位戦の「封じ手」、14日からチャリティー販売 収益は九州豪雨の救援金に

［9月11日 東京新聞］

7～8月に指された将棋の第61期王位戦七番勝負（東京新聞など主催）で、対局者の木村一基王位（47）＝当時＝と藤井聡太棋聖（18）＝同＝が記した「封じ手」のチャリティー販売が14日正午から始まる。日本将棋連盟が11日、発表した。オークションサイト「ヤフオク！」に出品され、収益は7月の九州を中心とした豪雨災害の救援金に充てられる。オークション開催は20日午後9時まで。

今期の七番勝負は、昨年、史上最年長で初タイトルを獲得した木村王位と、今年7月に史上最年少で初タイトルを獲得した藤井棋聖の「最年長VS最年少」

の戦いとして注目された。藤井棋聖が4連勝で王位を奪取、史上最年少の二冠獲得と八段昇段を決めている。

今回出品されるのは、災害発生後に指された第2～4局の封じ手計3通。第2局は、まだ無冠だった「藤井七段」が初めてタイトル戦で記した封じ手。木村王位が封じた第3局は、史上最年少で初タイトルを獲得した「藤井棋聖」が初めて臨んだタイトル戦。第4局では、藤井棋聖が王位獲得の原動力となった強手「８七同飛成」を封じた。いずれも将棋史に残る価値のある封じ手だ。

チャリティー販売は木村王位の提案を受けて実現。経費を差し引いた収益の全額が、王位戦の主催紙の1つである西日本新聞の民生事業団（福岡市）に寄付され、被災地に回される。

木村王位は「コロナ禍の中でもタイトル戦を開催していただくことへの感謝を、何らかの形にできないかと考えた。将棋が人々の助けになることは少ないが、せめて何かできればという思いだった」と、意図を説明した。藤井棋聖も「自分の対局によって勇気づけられる方がいるのだとすれば、棋士冥利に尽きる」と話していた。

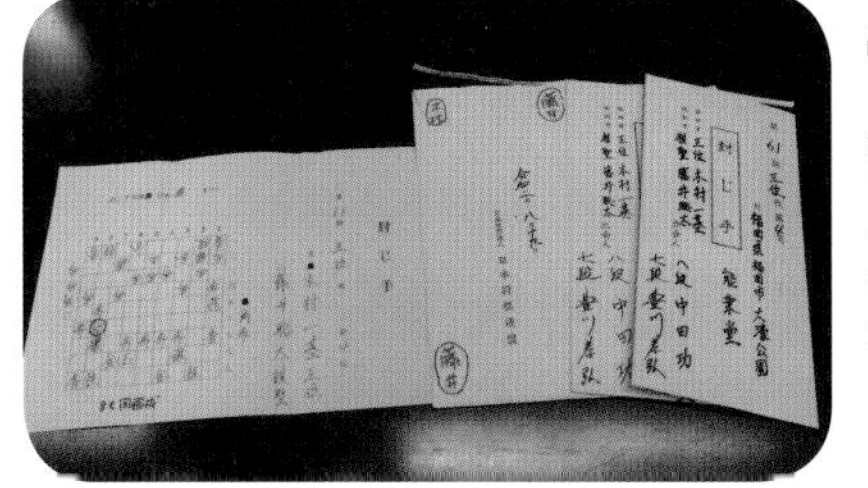
提供：東京新聞

池上彰の視点

AI将棋ソフトがもたらした恩恵

藤井聡太八段がAI将棋ソフトを取り入れていることは有名な話です。瞬時に最善手を提示するAI将棋ソフトが登場したことで、誰でもプロの棋戦が楽しめるようになりました。また、より「対人間」的な指し手が求められる時代になったという分析もあります。2017年にAI将棋ソフトが名人位を持つプロ棋士に勝利した際は、将棋の未来が危惧されましたが、まったくの杞憂でした。AIが将棋をさらに面白くし、棋士の成長、進化を加速させているのです。

鬼滅の刃

勢い止まらぬ『鬼滅の刃』漫画も小説もベストセラーに

「『鬼滅の刃』小説版でもベストセラー」

［6月13日 文・朝日新聞］

週刊少年ジャンプで連載された人気漫画「鬼滅の刃」の勢いが小説にも広がっている。取次大手の日販が発表した2020年上半期のベストセラーでは、小説版が1位と2位を独占した。

日販の発表によると、「総合」部門（19年11月24日〜20年5月23日の集計。コミック、全集、文庫を除く）の1位は、「鬼滅の刃　片羽の蝶」（19年10月発売）。第2位は、「鬼滅の刃　しあわせの花」（19年2月発売）だった。

いずれも吾峠呼世晴さんの人気漫画「鬼滅の刃」のノベライズで、吾峠さんが原作、小説は矢島綾さん。原作漫画の本編にないエピソードを収録しており、2冊合わせた累計発行部数は176万部を突破したという。

オリコンが5月28日に発表した上半期の〝本〟ランキング（19年11月18日〜20年5月17日の集計）でも、総合部門で1、2位となった。また、コミックランキングの「作品別」でも「鬼滅の刃」が第1位。「単巻別」では、18巻を筆頭に、1〜19位までを独占した。08年の集計開始以来初めてのことだという。

（滝沢文那）

「鬼滅の刃　片羽の蝶」（原作：吾峠呼世晴　小説：矢島綾／集英社　JUMP j BOOKS）

全国に巻き起こった「鬼滅の刃ブーム」その恩恵は日本の各所にまで広がりを見せる

鬼滅の刃

『鬼滅の刃』の毛筆書体、ふるさと納税返礼品に「闘龍」「陽炎」…地元企業制作の3種類 鹿児島・さつま町

［8月27日 南日本新聞］

さつま町のふるさと納税の返礼品に、同町船木の昭和書体が制作したパソコン用毛筆フォントが加わった。人気テレビアニメ「鬼滅の刃」で使われた「闘龍(とうりゅう)」、「陽炎(かげろう)」と、全書体セットの3種類。町は「フォントの返礼品は全国初ではないか。さつま町生まれの書体をぜひ利用して」と呼び掛ける。

闘龍は力強さ、陽炎はゆがんだ独特の字形が特徴で、アニメでは登場人物の名前紹介に利用されている。それぞれ2万円の寄付者が対象で、各7千文字が使えるソフトを送る。全書体セット（和文61書体、欧文110書体）は寄付額11万円。

毛筆フォントを扱う企業は全国に数社しかなく、返礼品の充実を目指す町が同社に声を掛け、5月から取り扱いを始めた。同社によると、昨年のアニメ放送の反響は大きく、闘龍や陽炎は、番組テロップをはじめ一般でも幅広く使われるようになってきている。

ほとんどの和文書体を手掛ける同社の綱紀栄泉さん（84）は「自分の字が地場産品の一つとなるのはうれしい。寄付額が増えることで地元への恩返しにつながれば。今後も新たな書体を作り続ける」と話している。

提供：南日本新聞

善意のマスク、各地で届く「鬼滅」「タイガー」キャラ名で―新型コロナ

［3月30日 時事通信］

新型コロナウイルスの感染拡大で深刻なマスク不足が続く中、各地の医療関連施設や自治体に匿名でマスクの寄贈が相次いで

いる。児童関連施設にランドセルを贈る「タイガーマスク運動」のように漫画の登場人物を名乗るケースもあり、関係者からは「本当に助かる」と感謝の声が上がる。

岩手県一関市の一関病院には今月10日、40〜50代とみられる男性が訪れ、紙袋に入ったマスク135枚を手渡した。添えられた手紙には「タイガー白マスク伊達な夫（だてなおと）」の名前で「助産師や看護師さんら、第一線で患者に接する方に」と書かれていたという。

同市の一関看護専門学校、一関准看護高等専修学校では23日、別の人物とみられる40代前後の男性がマスク100枚や消毒液などを寄付。人気漫画「鬼滅の刃」の登場人物「嘴平伊之助（はしびらいのすけ）」を名乗る手紙が添えられ、「日々感謝しております」などとつづられていた。一関病院にも同日、同じ漫画に登場する「我妻善逸（あがつまぜんいつ）」を名乗る男性からマスク100枚が届いた。

このほか、北海道の七飯町、新潟県弥彦村などにも、役場宛てに匿名でマスクの寄付があった。東京都も、匿名で子ども用マスク約20万枚の寄付があったと発表。善意の輪は各地に広がる。

一関病院の担当者は「備蓄分を少しずつ使っているが、このままでは3日に1枚に制限しないといけないと話していたところだった。本当に助かる」と感謝。「病院が困っていることを知った地域の方からの寄贈かもしれない。持ちつ持たれつ、善意は医療でお返ししたい」と話した。

池上彰の視点

出版とデジタルの融合を加速させるべき

『鬼滅の刃』は、2019年のアニメ化がきっかけとなって単行本の売上げが爆発的に急増し、アニメの主題歌も大ヒット。連載が終了した現在も、アニメは動画配信サイトで異例のヒットを続けています。出版不況といわれる中、『鬼滅の刃』の目を見張る売れ行きは非常に希望です。今後、出版業界が生き残っていくには、これを一過性の現象で終わらせるのではなく、出版とデジタルコンテンツをさらに融合させ、販路を拡大していく必要があるでしょう。

実はよくなっていること❶

改善されつつある子育て環境

女性の就業率の増加とともに保育所不足が深刻化していましたが、「保育園落ちた日本死ね」という個人のブログが国民的な議論を呼び、近年、急速に改善が進んでいます。認可・認可外保育施設も増加傾向にあり、2019年10月から幼児教育・保育の無償化がスタート。しかし、幼稚園等の無償化にはさまざまな条件があり、制度が始まったことで逆に月々の支払いが増えてしまったというケースもあるようです。今後も改革を継続して、親も子も幸せになる保育環境の整備を進めていく必要があります。

＼実は！／

改善されている待機児童問題

国が策定した「子育て安心プラン」に基づく施策によって、2020年度末までの3年間での保育の受け皿確保の拡大見込みは約29.7万人分に拡大し、2020年4月1日時点での待機児童数は過去最少を記録しました。その一方で、保育園に入れずに育休を延長した親の子どもや、特定の保育所を希望している子どもなど、厚生労働省の「待機児童」の定義に当てはまらない「隠れ待機児童」の存在も指摘されており、早急な対応が求められています。

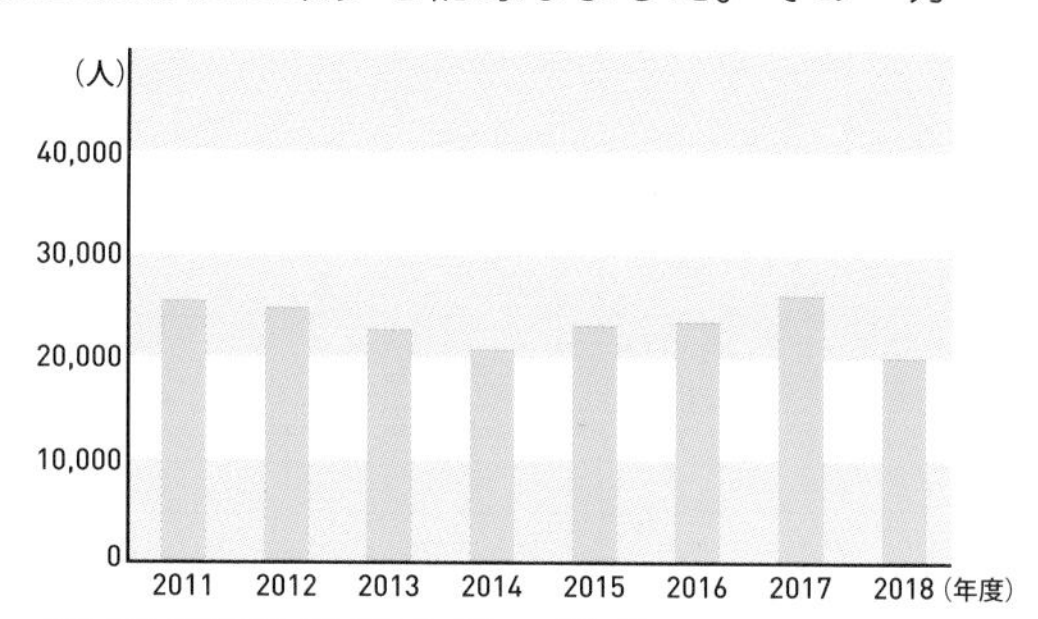

保育所等待機児童数の推移

（出典：厚生労働省HPより作成）

＼実は！／

男性の育児休暇取得率が増えている！

男性の育児参加が広がりつつあります。それに伴い、男性の育児休暇取得率も年々上昇し、2019年10月の時点では、育児休暇を取得することができる人のうち実際に取得した男性の割合は過去最高の7.48％となりました。しかし、政府が掲げている2020年までに13％、5年後までに30％とする目標と比べると、非常に低い水準にとどまっています。男女の格差をなくすためにも、国による制度改革と、企業による職場環境の整備が必要です。

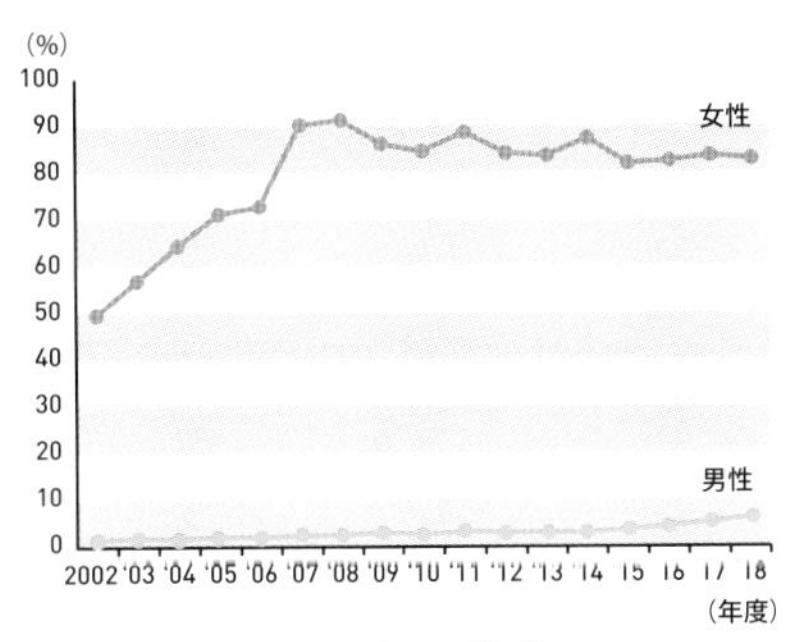

育児休暇取得率の推移
(出典：厚生労働省HPより作成)

よくなるためには

男性の育児が許容される社会に！

世界的に見れば、男性も子育てをすることは当たり前。日本政府は古い意識を捨て去る政策を打ち出し、国民の認識から変えていくべきでしょう。

テレワークが男性育休浸透の後押しに！

テレワークの導入が進んだことで、男性が家族と向き合う時間が増加。育児休暇を取得する当事者の意識がこれから変わっていきそうです！

男女間賃金格差の是正が改善のカギに

男女間の賃金格差は減少中。子育てにおいても男女平等が進み、育児時間の不均衡の改善につながり、良い影響を及ぼしていくでしょう。

企業のコラボレーション

「志は一つ」ヤフーとLINE統合へ GAFAに続け

「ヤフーとLINE、来秋統合 利用1億人規模、『GAFAへ危機感』」［2019年11月19日 文・朝日新聞］

インターネット検索などのポータルサイト「ヤフー」を展開するZホールディングス（HD）とメッセージアプリのLINEは18日、経営統合することで基本合意した。利用者数はLINEが約8千万人、ZHDのサービスは約5千万人で、合わせて1億人規模の国内トップのIT企業が誕生する。

両社の売上高の合計は約1・2兆円で、1・1兆円の楽天を抜き、国内IT大手でトップとなる。12月に統合の正式契約を結び、公正取引委員会の審査などを経たうえで来年10月をめどに統合を完了する予定だ。

ZHDの親会社は携帯電話大手のソフトバンク（SB）で、SBの親会社は孫正義会長兼社長が率いるソフトバンクグループ（SBG）。LINEは韓国のIT大手ネイバーが親会社だ。統合は日韓のIT大手の連携という側面も持つ。

発表された統合計画案によると、ZHDの親会社のSBがネイバーと共に折半出資する会社を置き、同社がSBに代わりZHDの筆頭株主となる。折半出資だが、経営の主導権はSB側が握る。

ZHDの下に完全子会社として事業会社ヤフーとLINEがぶら下がる。ZHDは現在東証1部上場で、一連の統合後も上場を維持する。LINEは上場を廃止する予定。存続会社のZHDの共同CEO（最高経営責任者）にはZHD現社長の川辺健太郎氏とLINE現社長の出沢剛氏が就く。2人はともに代表権を持ち、川辺氏はZHD社長も続ける。

統合は対等の形で行うが、ZHDはSBの連結対象となり、LINEがSBGのグループに入る色彩が濃い。

SBGは携帯電話事業を基盤に、利用が拡大するスマートフォンでのサービスを強化している。通信アプリで国内では圧倒的な利用者数を持つLINEと連携し、あらゆるサービスをスマホ上で提供する「スーパーアプリ」の実現を目指す。

18日夕方に都内で記者会見したLINEの出沢社長は米国の「GAFA」（グーグル、アップル、フェイスブック、アマゾン）や中国の「BAT」（バイドゥ、アリババ、テンセント）と呼ばれる巨大IT企業の台頭で「優秀な人材、データが強いところに集約してしまう。2社が一緒になっても桁違いの差がついている」と述べ、「強い危機感があった。今が手を打つタイミングだった」と統合の背景を説明。ZHDの川辺社長は「（LINEとの）志は一つ。（GAFA、BATに次ぐ）世界の第三極になることで一致している」と語った。（栗林史子）

写真：Motoo Naka/アフロ

アメリカ、中国に続く第三極となれるか 5G時代を生き抜く日本企業の生存戦略

企業のコラボレーション

トヨタとNTTが資本提携 スマートシティーで連携

［3月24日　文・日本経済新聞］

トヨタ自動車とNTTは24日、資本・業務提携すると発表した。通信を活用した自動運転技術などを共同で開発する。出資額は相互に2千億円規模となる。トヨタが2021年に静岡県の工場跡地を活用して建設する「スマートシティー」でも両社の技術を持ち寄る。トヨタは外部企業の知見を活用することで次世代の技術開発を加速させる。

トヨタはNTTと相互出資することにより、次世代通信規格「5G」を使った次世代車開発などを推進する。

自動車産業はつながる車（コネクテッドカー）、自動運転、シェアリング（相乗り）、電動化の英語の頭文字をとった「CASE」と呼ばれる新技術領域の開発競争が活発になっている。特につながる車や自動運転の分野では車単体の性能向上だけでなく、車の外から情報を集める通信技術を活用することが求められている。

トヨタとNTTは17年にコネクテッドカー向けの共同研究開発をすると発表し、18年12月から実証実験を進めてきた関係にある。走行データや車両周辺の動画像といった、コネクテッドカーで得られる膨大な疑似データをシミュレーターで作成。センターに集めて分析する基盤技術の確立を目指している。

今回の相互出資で次世代車の開発に加えて協業の柱となるのが、トヨタが21年から静岡県裾野市でつくり始める実証都市「ウーブン・シティ」向けの取り組みとみられる。「コネクテッド・シティー」と位置付け、2020年末に閉鎖予定のトヨタ自動車東日本の東富士工場の跡地に新技術を詰め込み自動運転車などが行き来する未来都市をつくる構想だ。

トヨタが商用向けに開発を進めている自動運転の電気自動車（EV）「イーパレット」などを走らせる。居住者は車のほか、室内用ロボットなどの様々な新技術を検証する。MaaS（マース、次世代移動サービス）や人工知能（AI）の開発も促進する。いずれも高速通信技術は不可欠な分野で、NTTなどとの

提携を生かす。

一方、NTTはデータを使い、都市生活の質を高める「スマートシティー」構想をグループの成長戦略の柱の一つとして進めている。米ではラスベガス市と組み、監視カメラや音響センサーを組み合わせて通行車両や通行人の状況を検知するシステムを開発。交通事故の減少などに効果を発揮している。

国内では札幌市や千葉市などと進めている。札幌市では購買履歴と位置情報を掛け合わせて観光業に生かす。千葉市とは自動運転の実証などを進めている。

NTTがスマートシティー構想を推進するのは、伸び悩む通信事業に変わる収益源としての期待が大きいからだ。スマートシティーでは各種センサーを連携させるため、5GなどNTTグループが保有する技術を生かしつつ、グループの収益を高められる利点がある。

トヨタは18年にソフトバンクグループと大規模な事業提携し、共同で移動サービス会社を設立している。既存の市販車向けではKDDIとも通信分野で技術連携している。今回、NTTと資本提携に踏み込むことで、トヨタは国内通信大手すべてと提携関係を結ぶことになる。

写真：つのだよしお／アフロ

企業規模を問わず 連携が進んでいく

ここ数年、日本有数の大企業が次々に資本連携を行い、GAFA※に対抗するべく、財政および開発基盤の強化を進めています。同時に、学生ベンチャーを含めたスタートアップ企業もIT分野において特に存在感を高めています。すでに大企業との連携やM&Aなども進みつつありますが、今後はさらにこの動きが加速していくことが予想されます。コロナ禍は“ゲームチェンジ”を仕掛けるチャンスです。今後の日本企業の活躍に期待しましょう。

※世界のIT業界をリードするGoogle、Apple、Facebook、Amazonの頭文字をとった略称。

男性の育児休暇

小泉環境相が育休へ「男性公務員の育休取りやすい空気に」

「小泉環境相が育休へ　男性公務員の取得後押し」［1月15日　文・日本経済新聞］

小泉進次郎環境相は15日、月内にも予定する第1子の誕生後に育児休暇を取得すると表明した。男性の国家公務員の育休を促す政府の方針を後押しし、育休を取りやすい雰囲気づくりにつなげる狙いだ。首相が出産後に休むなど政界での育休取得が進んでいる海外の事例も踏まえた。

小泉氏は15日の環境省の会合で「公職を全うしながらどのような形で取得するか正直とても悩んだ。働き方改革にはトップダウンも必要だ」と語った。

特別職の国家公務員である閣僚や国会議員には法律で定められた休暇制度はない。小泉氏は休業中に給付が出る法制度の「育児休業」とは異なる「育児休暇」を取るため、期間や取り方は自身らの考えで決めた。休暇や短時間勤務、テレワークを組み合わせ、第1子誕生後の3カ月で合計2週間分の育児休暇を取る形式にした。国会や閣議のない日に自宅で過ごすなど公務に支障が出ないようにする。同じ特別職の公務員で育児休暇を取った三重県の鈴木英敬知事らの例を参考にした。

政府は少子化対策につなげるため、２０２０年度から男性の国家公務員に1カ月以上の育休取得を促す制度を始める。小泉氏は「制度だけではなく社会の空気を変えなければ育休は増えない。環境省でも臆することなく取得が進むことを期待している」と語った。

海外ではニュージーランドのアーダーン首相が18年に育休を取得し、副首相が首相を代行した。デンマークやスウェーデンには男女を問わず国会議員に数カ月単位の長期の育休制度が整う。小泉氏は環境相に就任後、アーダーン氏と会談した。

写真：毎日新聞社/アフロ

全国で広がる男性育児休暇
制度だけでなく活用できる雰囲気づくりを

男性の育児休暇

町で初めて、男性職員が育休を取得した 子育て中の町長も後押し

［1月6日　毎日新聞］

新潟県津南町職員の小島裕輔さん（35）が、町の男性職員として初めて育児休暇を取得した。妻で小学校教諭の有美さん（37）とともに、わが子の成長を優しく見守っている。

2人は2015年8月に結婚。昨年12月2日、待望の第1子となる長男が誕生した。「願いが叶って生まれてきてくれた。周りを笑顔にするようになってほしい」と願いを込め、叶葵ちゃんと命名した。直後の4日から1カ月、育児休暇を取得。一番大変で大切な時に、家族で一緒に過ごしたいと思ったからだ。

裕輔さんは、以前から育児休暇を取得したいと考えていたという。在籍する町福祉保健課の上司や同僚に相談したところ、背中を押してくれた。2児の母親で子育てまっただ中の桑原悠町長も「男性職員で初めての育児休暇取得で、自分の家族を大切にする素晴らしいことだ。その経験を生かし、仕事に力を注いでほしい」と後押しを約束した。

裕輔さんは、有美さんの実家がある上越市内で生活し、入浴や着替え、ミルクなどの子育てを続けてきた。真夜中になることもよくあるが、苦にはならない様子。胸に抱くとずっしりと重くなっていき、わが子の成長を感じるという。有美さんは「何でもやってくれるのでうれしい。近くにいてくれるのが一番ありがたい」と感謝。

裕輔さんは「今でないとできない経験。笑顔や寝顔を見ている時に幸せを感じる」と話した。毎日、成長の記録を書き続け「後に続く人たちの参考になれば」と思っている。（板鼻幸雄）

提供：毎日新聞社

男性警察官4人、13年ぶりに育休／高知

［2019年12月7日　毎日新聞］

県警の男性警察官が13年ぶりに育児休業を取得する。今月中旬～来年4月中旬にかけて4人の警察官が2週間～1カ月半程度の休みに入り、育児に集中する環境を整える。

警務課によると、育休を取るのは県警本部や高知南署などに勤務する4人。男性警察官が取得するのは2006年以来という。

高知南署地域課の吉門亨健（こうけん）巡査長（39）は第2子の育児のため、来年2月下旬から約1カ月の育休に入る。上司の勧めで取得を決めたといい、「制度は知っていたが特別な理由がないと取れないと思い込んでいた。近くに頼れる親戚がいないのでありがたい」と笑顔を見せる。妻もとても喜んでくれたそうで、吉門巡査長は「制度があっても誰も活用しなければ宝の持ち腐れ。後輩にもぜひ活用してもらいたい」と話す。

県警は4年前から個別面談を始めるなど、ワークライフバランスの推進に取り組んでいる。警務課は今回4人の育休取得に関して「幹部の意識が変わり、制度を理解して部下に伝えられるようになったのではないか」と説明している。（北村栞）

提供：毎日新聞社

池上彰の視点

抜本的な改善を望む男性の子育て環境

ユニセフの調査によると、日本は男性が有給で取得できる育児休暇の期間が世界最長の約30週である一方で、育休取得率は非常に低いと指摘されています。男性優位社会が長く続いている日本では、子育て関連の制度を作る主体も子育て経験の乏しい中高年層の男性が中心で、使い勝手の悪い制度になるのは必然といえます。世代交代を待たずにジェンダー平等を大きく前進させるのは至難の業かもしれませんが、諦めずに取り組み続けることが大切です。

令和の皇室

「直接話を聞く機会大切に」天皇陛下60歳に即位後初会見

「天皇陛下60歳に『多様性に寛容な心を』即位後初会見」［2月23日　文・日本経済新聞］

天皇陛下は23日、60歳の誕生日を迎えられた。これに先立ち、赤坂御所（東京・港）の「日月の間」で即位後初の記者会見に臨み「天皇の一つ一つの公務の重みと、それらを行うことの大切さを感じております」と、令和の象徴としての歩みが始まった即位以来の日々の感想を述べられた。

陛下が記者会見を通じ国民に向けてメッセージを発信されるのは即位後初めて。

会見は1989年8月に行われた上皇ご夫妻の即位後会見を踏襲し、国内外の記者団46人が出席。陛下は約40分にわたって質問に答えられた。宮内庁は皇后さまの同席も検討したが、体調面を考慮し見送った。

陛下は一連の即位の儀式に臨んだ心境を「我が身が担う重責に思いを致し、身の引き締まる思いがし、厳粛な気持ちになった」と述べ、「お一人お一人の声に支えられて今日を迎えることができた」と国民の祝意に感謝された。

新時代の象徴像については「常に国民を思い、国民に寄り添いながら、象徴としての責務を果たす」と、即位当初と同じ表現で決意を示された。社会の変化に対応しながら公務に取り組むことが「その時代の皇室の役割」と指摘。「多くの人々と触れ合い、直接話を聞く機会を大切にしていきたい」と抱負を語り、60歳を迎えたことを「もう還暦ではなく、まだ還暦」と、これからの道のりを見据えられた。

新型コロナウイルスの感染拡大については、罹患者に見舞いの気持ちを示すとともに、対応に当たる関係者をねぎらい「できるだけ早期に収まることを願う」と述べられた。

写真：毎日新聞社／アフロ

陛下は東京五輪・パラリンピックの名誉総裁。1964年の前回東京大会を「初めての世界との出会い」と振り返り、当時皇太子だった上皇ご夫妻に連れられて訪れた閉会式の光景を念頭に「世界の平和を切に願う気持ちの元となっている」と述べられた。

皇后さまとの二人三脚の歩みや、愛子さまの誕生を「うれしいこと」と振り返る一方、阪神大震災や東日本大震災といった災害については「被害の大きさが忘れることのできない記憶」と吐露された。相次ぐ児童虐待や貧困問題には「次世代を担う子供たちが健やかに育っていくことを願ってやみません」と話された。

在日外国人や性的マイノリティーの人々についても「多様性に対して私たちは寛容の心をもって受け入れていかなければいけない」との認識を示された。

世界で深刻化する地球温暖化をはじめとする環境問題にも触れ「（ライフワークとする）水問題についての取り組みも、今後とも続けていくことができれば」と意欲を述べられた。

研究者として、国民の伴走者として、さまざまな形で国民に寄り添う令和皇室のあり方

令和の皇室

ハゼ研究者の上皇さま、17年ぶり新種発見…年内にも論文発表へ

［7月14日　読売新聞］

ハゼ研究者として知られる上皇さまが、南日本に生息するオキナワハゼ属の新種を発見されたことがわかった。上皇さまによる新種発見は9種目で、2003年以来17年ぶり。退位後初めての研究成果で、関連する論文は年内にも発表される見通し。

関係者によると、今回の新種は10年以上前に上皇さまの研究スタッフが沖縄近海で採集したオキナワハゼ属のハゼ。上皇さまが頭部にある感覚器の配列の数やパターンなどを調べ、新種と突き止められた。すでに名前も決められたという。在位中は多忙だったため、昨年4月末の退位後に本格的に論文の執筆を始められた。

提供：宮内庁
2009年に熱心に研究をなさる上皇（当時は天皇陛下）

上皇さまは皇太子時代の1960年代からハゼの分類学の研究を始められた。感覚器の配列によって種を分類する方法を確立されたのも上皇さまで、研究を支える京都大の中坊徹次名誉教授（魚類学）は「この手法は、今もハゼ分類の土台となっている」と指摘する。

上皇さまは、皇太子時代はほぼ毎年のように論文を発表されていたが、在位中は多忙な公務に追われ、発表したハゼ関連の論文は7本のみ。即位10年目の1998年の記者会見では「もう随分研究から遠ざかっていたように感じます」と述べられたこともあった。

今回の新種は遠方の沖縄近海に生息するためスタッフの手を借りたが、標本を自ら採集されることも珍しくない。昨年4月には、京都市の京都仙洞御所の池で自ら採集されたハゼの仲間ヨシノボリの研究結果を発表。DNAを分析した結果、琵琶湖（滋賀県）のビワヨシノボリと京都盆地の池などにいるシマヒレヨシノボリが交雑した種であることを突き止められた。

退位後は多い時で週2～3回、皇居・生物学研究所に通い、研究を進められている。中坊名誉教授は「上皇さまは一か所でも

疑問があったら標本に戻って調べられるなど決して妥協しない。86歳という年齢で根気強く研究を続けられていることはすごいことだ」と話している。

陛下ご即位に伴う1億円、寄付先が決定

［4月6日　産経新聞］

宮内庁は6日、天皇陛下が即位されたことに伴う社会福祉事業への寄付について、政府が創設した「子供の未来応援基金」と、国やボランティア団体の調整役などを担うNPO法人（特定非営利活動法人）「全国災害ボランティア支援団体ネットワーク」に、それぞれ5千万円ずつ行うと発表した。寄付金は陛下の私的な「お手元金」から拠出され、それぞれ子供の貧困問題関連事業と、被災者支援関連事業に充てられるという。

宮内庁の池田憲治次長は6日の定例会見で「天皇、皇后両陛下は、子供の貧困問題と、平成時に数多く発生した災害を契機に役割が高まっているボランティアによる被災者支援に対する国民の理解が深まることを願われている」と述べた。

憲法8条では皇室が寄付をする場合、国会の議決が必要と規定。寄付額が年間1800万円を超える場合に適用される。3月の参院本会議で、陛下が今月30日までの間、社会福祉事業へ1億円以内の寄付をされることを可能とする議決案を可決していた。

上皇さまのご即位の際にも、児童福祉と障害者支援の2団体に5千万円ずつ計1億円が寄付されている。

池上彰の視点

避けては通れない皇位継承問題

2019年5月1日の皇位継承により、現在の皇位継承資格者は秋篠宮さま、悠仁さま、常陸宮さまの3人となりました。皇室典範は「皇位は、皇統に属する男系の男子が、これを継承する」と定め、女性天皇や女系天皇には「万世一系」という考えから根強い反対論があります。しかし、安定的な皇位継承の確保は日本が避けて通れない課題の一つです。問題を先送りすることなく、皇室の未来像を考え、意見を集約していくことが必要でしょう。

2020 News 19

あかるい政治・経済

給付金

「国難ともいえる状況乗り越えるため」10万円を一律給付

「補正予算案が成立 国民に一律10万円」

［4月30日 文・時事通信］

新型コロナウイルス感染拡大に伴う緊急経済対策を盛り込んだ２０２０年度補正予算は、30日午後の参院本会議で与党と主要野党、日本維新の会の賛成多数で可決、成立した。国民への一律10万円現金給付が柱で、各自治体は給付の作業を急ぐ。

安倍晋三首相は補正予算成立後、記者団に「国難とも言える困難な状況を国民と共に乗り越えていきたい。そのためにあらゆる手段を尽くしていく決意だ」と強調した。

事態収束の見通しが立っていないため、政府・与党はさらなる対策が必要だと判断。第2次補正予算案の編成を視野に、減収となった事業者の家賃負担支援などについて本格調整に入った。

補正予算は総額25兆６９１４億円。現金給付の費用として12兆８８０３億円、売り上げが急減した中小企業に最大２００万円を給付する「持続化給付金」として2兆３１７６億円をそれぞれ計上した。現金給付をめぐっては、いったん「減収世帯に30万円」と決めたが、公明党の要求を受け「一律10万円」に方針転換した経緯がある。

衆院では立憲民主党、国民民主党、共産党といった主要野党も賛成し、全会一致となったが、参院ではれいわ新選組が「（規模が）全く足りない」として反対した。

画像提供：ペイレスイメージズ/123RF.COM

支給・受給の双方から垣間見えた「誰かのために」という思いやりの心

給付金

特別給付金「休日返上ありがとう」申請書に感謝同封 宮古島市職員「癒やされる」

〔6月6日　琉球新報〕

【宮古島】市役所の職員は、一日何百通と届く申請書を開封し中身を確認する。ぱらりと落ちた手紙には「私たちのためにありがとう」。市民の感謝の言葉がつづられていた。

新型コロナウイルス対策で国民1人に10万円が支給される国の特別定額給付金事業は現在、県内各地で市町村職員が給付作業に追われている。宮古島市で作業を担う給付金支援室には、郵送された申請書と一緒に、市民から感謝のメッセージが寄せられている。支援室の平山茂治室長は「市民の温かい心に触れて疲れも吹っ飛ぶ。職員一同、給付金が一日でも早く皆さんに届くよう頑張りたい」と感謝した。

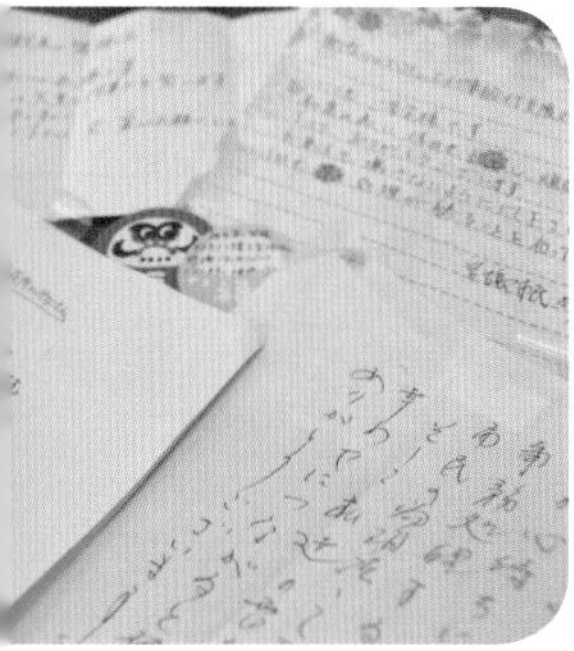

提供：琉球新報社

宮古島市内の受給対象は約2万8千件で、支援室は20人体制で作業に当たる。市民から届けられる申請書を開封し、必要書類が添付されているか、身分証と合致しているかなどを手作業で二重、三重に確認する。受け付けを開始して以来、連日、午後10時ごろまで残業が続く。個人情報を扱う重責も負担を生む。

「体に気を付けてください」「休日返上で頑張ってくれてありがとう」。寄せられた手紙はかわいらしい便せんだったり走り書きだったりとさまざまだが、職員の負担をねぎらう温かい心にあふれている。

支援室では寄せられた手紙を室内の掲示板に貼り付けている。平山室長は「感謝の一言に尽きる。メッセージを見るだけで疲れた心と体が癒やされ、励まされる。よりいっそう職務に励みたい。こちらこそ、ありがとうございます」と笑顔で話した。（佐野真慈）

「子ども食堂」救う給付金？ 10万円寄付相次ぐ 匿名で米300キロも

〔8月1日　西日本新聞〕

新型コロナウイルス対策で一

律10万円を支給する「特別定額給付金」を使ったとみられる子ども食堂支援の動きが、北九州市でじわりと広がっている。市役所や市内の食堂でつくる「子ども食堂ネットワーク北九州」には3月以降、18件計180万円の寄付があり、別に10万円分の米も届いた。コロナ禍で先行きが見えない中、食事も満足に取れない子どもたちに一人一人の善意が寄せられている。

「10万円分の米を注文したので取りに行って」。5月下旬、匿名の電話を受けた市職員が指定された同市戸畑区の米店を訪ねると、米約300キロの代金が支払われていた。米は困窮家庭などに食べ物を届ける「フードバンク北九州ライフアゲイン」に託された。

現金の寄付は、特に政府が給付金支給を決めた4月以降、きっちり10万円ずつの振り込みが相次いだ。「学校の臨時休校で給食がなくなり、ご飯が食べられない子どもがいると報道で知った」と電話口で支援の理由を話す人もいたという。

市によると、イベントが中止になった企業などからも子ども食堂向けに米の寄付が相次ぎ、4~6月だけで昨年1年間の2倍超、約3・5トンが集まった。

同市内の約30カ所の子ども食堂はコロナ禍で活動を休止していたが、5月中旬以降、順次活動を再開。3カ所で食堂が新規開設された。市は届いた支援金や食料などを各食堂に分配中で、市子育て支援課の担当者は「米も資金も食堂の運営には欠かせない。支援はとてもありがたい」と話している。（白波宏野）

20代を中心に 寄付に対する意識が変化

特別定額給付金の使い方の一つとして、「寄付」が注目されています。ヤフーなどが5月に立ち上げ、2億5000万円以上が集まった「コロナ給付金寄付プロジェクト」が行った調査によると、寄付に最も前向きだったのは「20代」でした。今はオンラインで誰でも気軽に寄付できる時代。日本は欧米諸国と比較すると寄付に対する意識が低いといわれてきましたが、クラウドファンディングなどが身近な若者を中心に寄付文化が根付きつつあるようです。

2020 News 20

あかるい政治・経済

オンライン医療

オンライン診療 初診から 一部可能に

「政府、『初診からオンライン診療』条件付き容認へ」

［4月3日 文・産経新聞］

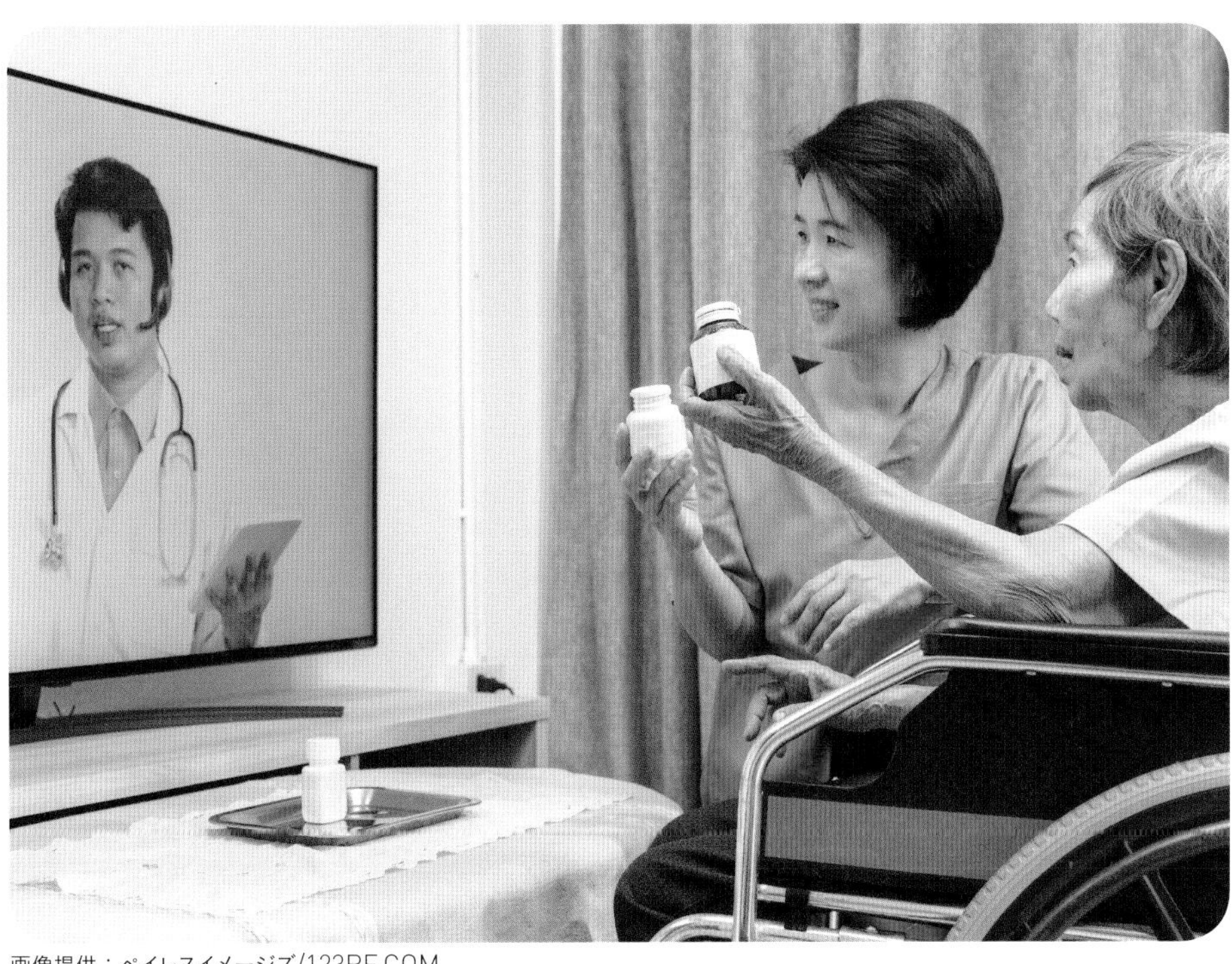

画像提供：ペイレスイメージズ/123RF.COM

政府は2日、新型コロナウイルスの感染拡大を受け、インターネットを使って自宅で診療を受ける「オンライン診療」を初診から条件付きで容認する方向で検討に入った。政府の規制改革推進会議（議長・小林喜光三菱ケミカルホールディングス会長）は同日、特命タスクフォースの初会合を開き、オンライン診療を議題に上げた。近く意見書をまとめる。

同会議側は厚生労働省に、院内感染や医療崩壊を防ぐため、受診歴のない初診の患者をオンラインや電話による診療の対象にすることや、それらの診療の報酬が対面診療と同等とすることなどを求めた。現状では初診では対面診療が原則となっている。

厚労省が難色を示したため、小林氏は会合後の記者会見で「遠隔診療を求める国民の声に応えることができないと危惧している」と再考を促した。

これを受け、厚労省は同日夜の有識者検討会で対応を協議した。感染拡大の状況を踏まえ、厚労省が定める期間や地域などに限定して、初診からオンライン診療を一部容認する方向になりそうだ。

タスクフォースの初会合では、小中高校の児童・生徒の学習機会を確保するため、遠隔教育についても議論。会議側は自宅などでオンラインで授業を受けられるよう、早期に端末を届け通信環境を整備する▽授業に参加していると認められる基準の緩和▽高校や大学の単位取得数の制限の緩和―を求めた。文部科学省側は前向きな姿勢を示した。

画面越しだからこそ心情の吐露ができる〝会わない〟問診の利点にも着目

オンライン医療

「小児科オンライン」代表・橋本直也
オンラインだからこそ寄り添える、
母親の不安や孤立

［8月3日　ニッポン放送 NEWS ONLINE］

ニッポン放送「すくすく育て子どもの未来健康プロジェクト」（8月2日放送）に、小児科医であり医療相談サービス「小児科オンライン」代表の橋本直也が出演。コロナ禍におけるオンライン医療相談について語った。

淵澤由樹（アシスタント）：これまでの放送で伺ったお話を振り返ると、橋本さんはアイデアマンだなと思いました。国立成育医療研究センターでの「おりがみツリー」の企画も、橋本さんが関わっているそうですね。

橋本：同期の利根川先生と一緒に始めたものです。クリスマスを病院で過ごさなくてはいけない子どもたちがいるというのが、小児病院の現実です。心身の健康を考えたときに、「病院で過ごすクリスマスを、少しでもいい思い出にしてもらえたら」ということが根底にありました。あとは年齢に関係なく、お子さんがみんなで参加できるものを、と考えました。折り紙ならみんなが折れますし、小さいお子さんでも、手で潰してもらうだけでいいのです。それを集めて、巨大な「おりがみツリー」をつくろうと思いました。大きさは7メートルぐらいです。その折り紙に願いごとを書いてもらって、クリスマスに病院のエントランスで飾りました。それを絵ハガキにして皆さんに配り、「自分たちの作品がこうなったんだよ」と、お知らせしました。

淵澤：お話を聞いていても、橋本さんのやさしさが伝わって来ます。今年（2020年）は新型コロナウイルスの影響で、「オンライン診療」や「オンライン医療相談」が注目されました。橋本さんが5年前から行っているオンライン医療相談「小児科オンライン」ですが、今後の目標や計画をお聞かせください。

橋本：医療とは、聴診をして人に触れるということが原則にあり、5年前に始めたときは、「オンラインだと足りないことがあるのではないか?」というご指

摘もありました。でも今回の新型コロナの影響で、「オンラインでできること」にスポットライトが当たっていると感じています。オンライン医療相談の利点の1つは、小児科医や産婦人科医、助産師との接点が「お母さんの手の平のなか」にあるということです。少しふさぎ込んでしまって「病院に行きたくない」というお母さん達や、外に出にくいような方々に、こちらから接点を持てるということだと思います。病院で待っているだけでは届かない、不安や孤立にしっかりとリーチできるということを実感しています。「小児科オンライン」や「産婦人科オンライン」が、皆さんに届くような規模の事業になればいいと思っております。

ニッポン放送
番組名：すくすく育て
子どもの未来健康プロジェクト
放送時間：毎週日曜日 6：04-6：13
（2020年11月17日現在）

提供：ニッポン放送 NEWS ONLINE

池上彰の視点

オンライン診療拡大のカギは診察、検査のデジタル化

オンライン診療は、感染防止に大きな効果が期待できます。しかし、対面で行う診療と比較すると、検査や診察の幅に限りがあり、誤診を招くのではないかという懸念もあります。初期診療においては「診断の８割は問診でわかる」ともいわれていますが、当然ながら診断の精度を高めるためには視触診や各種の検査が必要になります。今後は、診察や検査のデジタル化を加速させ、オンライン診療の精度と安全性を向上させていくことが求められます。

外国籍の子どもたち支援

外国籍の子「今後の日本を形成する存在」文科省が通知

「外国籍の子の就学支援策、文科省が通知『学齢簿』に記載／高校入試で配慮」［7月27日 文・朝日新聞］

文部科学省は、日本に住む外国籍の子どもたちの就学支援に関する指針をまとめ、都道府県の知事や教育長らに1日付で通知した。義務教育年齢の子の名前や住所を記載する「学齢簿」に外国籍の子を載せることや、高校進学のための進路指導や入試での配慮を求めた。

政府は6月23日、昨年6月成立の日本語教育推進法をめぐり、外国人の子や留学生、就労者への日本語教育の推進に関する基本方針を閣議決定した。今回、この基本方針に基づいて地方自治体が取り組むべき点をまとめた。

指針では、外国籍の子について、「共生社会の一員として今後の日本を形成する存在であることを前提に」就学機会の提供を推進することが必要だ、と明記した。その上で自治体に対し、学齢簿に外国籍の子も載せることや、公立小中学校への就学案内に回答がない家庭については、保護者に連絡を取って就学を勧めることを求めた。

文科省は昨年、在日外国人の子どもについて初の全国調査を実施。小中学生にあたる年齢の子が約12万4千人おり、そのうち約2万人が就学していない可能性があることが判明した。

日本で日本語を学ぶ外国人は2011年度に約13万人だったが、留学生や技能実習生が増え、18年度は約26万人に。昨年4月には外国人労働者の受け入れを増やす改正出入国管理法が施行されており、外国籍の子は今後も増える見通しだ。

日本語指導が必要な小中高校の児童生徒数は、18年度で過去最高の5万1126人（外国籍4万755人、日本国籍1万371人）。このうち、2割強が日本語の補習など特別な指導を受けていなかった。外国籍の子を載せた「学齢簿」についても、昨年度で2割強の自治体が未作成だった。（宮崎亮）

画像はイメージ

移民が増え続ける日本で急がれる法整備
外国籍の子どもたちが生きやすい社会へ

外国籍の子どもたち支援

外国の子にも食の楽しさ
こども食堂 支援広がる

［8月6日　タウンニュース横浜南区版］

外国にルーツがある子どもや保護者を支援する中村町のNPO法人「信愛塾」は食事に困る子どもに栄養バランスの取れた食事を提供しようと、こども食堂を開いている。同所の竹川真理子センター長は「子どもたちには食卓を囲む楽しさ、コミュニケーションの大切さを学んでもらいたい」と思いを語る。

信愛塾には日本人のほか、10カ国以上に関係する在日外国人の子どもが通い、母国語を用いながら国語や数学、英語などを学んでいる。

施設を利用する多くの子どもは両親が共働きで家にいない、ひとり親で家計が厳しいなどの理由で食事に困っている。「食事に困る子どもの役に立てれば」との思いで、昨年1月にこども食堂を始めた。

食事は2016年から横浜中華街でこども食堂事業を行う「キッズレストラン笑福」＝中区＝が提供。必要に応じて昼食や夕食を賄ってきた。笑福の森本雅広事務局長は「笑福がこども食堂を始めた当初は、夏休みに体重が5kg減ったという子どもがいた。中区や南区は外国人労働者の子どもが多く、言語や文化の違いから馴染めず孤立してしまう場合もある」と話し、信愛塾との連携強化を図る。

■「心のつながりを」

臨時休校中、信愛塾には「頼りの給食がなくなり、昼食が食べられない」という相談が多く寄せられた。本来は週1回ペースの子ども食堂を週2回に増やした。

笑福のほか、南区内の市立学校でも食育支援を行っている料理研究家の長島由佳さんも協力するなど、支援の輪が広がったという。竹川さんは「皆さんの温かい支援に感謝。物理的に人との距離を保たないといけない時だが、心のつながりは切らさないよう、利用者に寄り添った活動をしていきたい」と話し、夏休み中も支援を継続する。

外国籍の子も利用をと
16言語の絵本を特集展示
福知山市立図書館

［1月6日　両丹日日新聞］

京都府福知山市駅前町、市民交流プラザ内にある市立図書館中央館は中国語やベトナム語など16言語の絵本、世界各国の文化などを紹介した本を並べる特集展示をしている。2月2日まで。

福知山には32カ国から移住した外国人1028人（昨年11月末現在）が居住。外国語の絵本は、外国籍の子どもたちに読んでもらえればと、中国語の「たね、ぷぷぷ」、ベトナム語の「満月」など42冊を並べた。

また外国人との仲を深めるためには、文化や習慣の違いを知ることも大切。このため、世界の祭りや食事、風習などを紹介する43冊を厳選し、併せて展示することにした。

浅田久子館長は「外国籍の人に、図書館を身近に感じてもらい、利用していただけるきっかけになればうれしい。また市民のみなさんも、外国への知識を深めて、市内に住む外国の人たちと仲良くしていただければ」と話している。

提供：両丹日日新聞

池上彰の視点

難民受け入れの現状と課題

日本政府は外国籍の子どもたちの支援を進める一方で、難民の受け入れに対しては厳しい姿勢をとり続けています。世界にはおよそ8000万人以上の難民がいるといわれていますが、2019年の日本での難民認定数は44人で、難民認定率は0.9%と世界的に見ても非常に低い水準です。さまざまな原因で祖国に住めなくなった人々を救済することは、人権保護の観点からしてもとても重要な事柄です。国を挙げた政策が行われることを願います。

実はよくなっていること ❷

成果が出てきている環境問題対策

日本の温室効果ガスの総排出量は2014年度から減少が続き、政府目標を着実に達成するなど、環境問題の改善が進んでいます。この背景には政府や企業の取り組みだけでなく、国民一人ひとりの心がけが影響しています。エアコンの設定温度に気をつける、ビニール袋の使用を控える、リサイクルに取り組むなど、小さな取り組みが積み重なることで、大きな成果を出しています。温室効果ガスの排出をさらに削減し、持続可能な社会を目指すためには、今後も毎日のちょっとした環境への意識が不可欠といえるでしょう。

実は！

CO 2排出量が3.9%減少！

日本における2018年度の温室効果ガス総排出量は、前年度比で3.9%減少。2014年度から5年連続での減少となり、政府が2020年度の目標としていた「2005年度比3.8%以上削減」を超過達成しました。電力の低炭素化や省エネ、暖冬などによるエネルギー消費量の減少によるものが大きいといわれています。2020年は、新型コロナウイルスの感染拡大により、経済活動が制約されているため、温室効果ガスの排出も減少しているとの報告もされています。

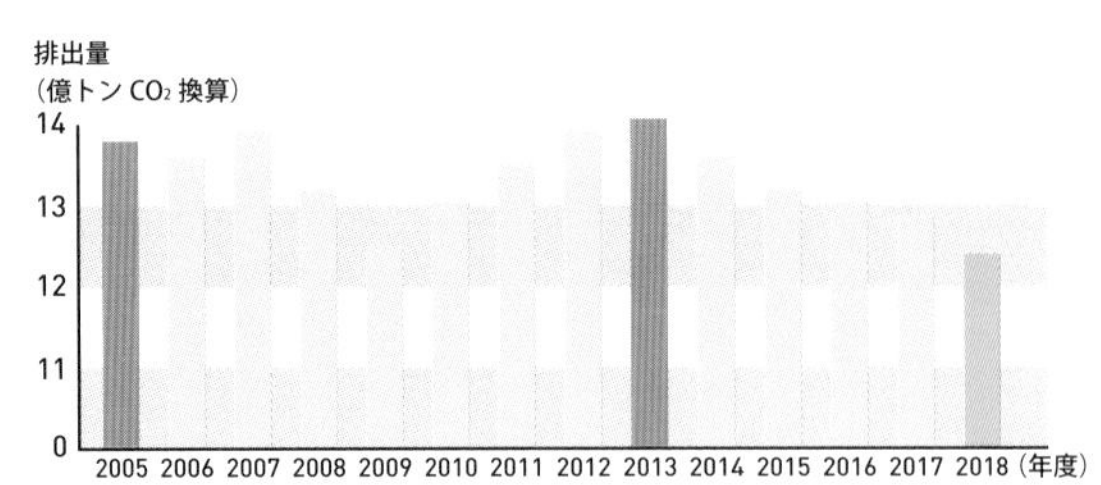

温室効果ガスの総排出量の推移
（出典：環境省HPより作成）

＼実は！／

“ゼロカーボンシティ”が増えている

2050年までに温室効果ガスであるCO2の排出を実質ゼロにすることを表明する自治体（ゼロカーボンシティ）の総人口が、日本の総人口の約半分の6500万人を超えました。地球温暖化の影響による気象災害が増加する中、政府より高い目標を掲げて脱炭素を目指す自治体の動きが加速。ゼロカーボンシティを表明した自治体では、冷暖房を使わなくても快適に暮らせる住まいづくりや、太陽光発電の共同購入を推奨するなどの支援をしています。

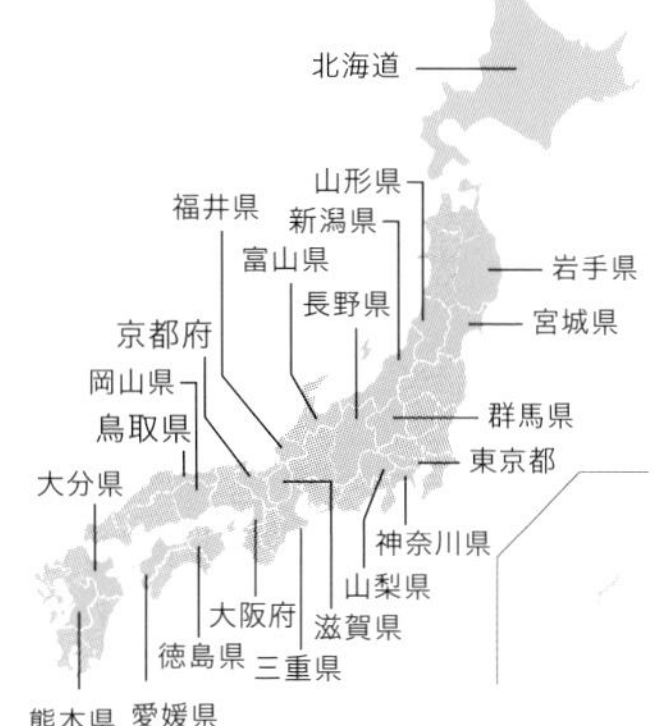

“ゼロカーボンシティ”を表明した都道府県
（出典：環境省HPより作成
2020年10月1日時点）

よくなるためには

☑ 気候変動対策にデジタルを活用

ITを活用して災害予測のためのデータ収集を行い、適切な対策を実施。また、デジタル経済への移行によってCO2排出量削減も見込めます。

☑ フードロスを減らす技術開発を推進

賞味期限を長くする「長鮮度化」や、生産・製造過程の効率化などを進めていくなど、食べ物の無駄をなくす取り組みが始まっています。

☑ “脱プラ”で海洋プラスチック削減に挑む

レジ袋有料化にとどまらず、包装の見直しや代替素材の開発など、さらなる“脱プラ”施策を推進することで海洋汚染を食い止めましょう。

脱プラ・レジ袋有料化

7月からレジ袋有料化へ 海洋プラスチックごみ対策で

「レジ袋有料化、20年7月から　全小売り店に義務付け
『植物由来』は除外」

［2019年12月25日　日本経済新聞］

経済産業省と環境省は25日、レジ袋の有料化を義務付ける制度の運用指針をまとめ、公表する。スーパーやコンビニエンスストアなどすべての小売店を対象に、東京五輪・パラリンピックの開催直前となる2020年7月から始める。消費者に身近なレジ袋を有料化し、プラスチックごみの削減に向けた意識改革を促す。植物由来で環境負荷の小さいレジ袋などは有料化の対象から外す。

年内に容器包装リサイクル法の省令を改正し、全ての小売店でプラスチック製の買い物袋の有料化を義務化する。レジ袋を含む容器包装を一定量以上使う事業者には取り組みを国に定期報告させ、必要に応じて勧告や命令を出す。命令違反には罰則も適用される。

価格は各事業者が自由に設定できる。指針では1枚あたり2～5円程度の先行事例を紹介し、1円未満は「有料化にあたらない」とした。レジ袋を有料化した分の売り上げの使い道は「事業者自ら判断する」とした。

レジ袋の有料化は、地球規模の課題である海洋プラスチックごみ（廃プラ）対策の一環だ。国内のレジ袋の使用は年間20万トン程度で、1年間に出る廃プラの2％程度を占めるとされる。国連環境計画（UNEP）によると、レジ袋をめぐる法規制実施国は127カ国にのぼる。

20年は東京五輪があり、日本への国際的な注目が集まる。日本の環境重視の姿勢を訴える狙いから当初は20年4月からの有料化をめざしたが、消費者への周知期間や小売店の準備期間が足りないとの意見が相次いだ。最終的に五輪開催にぎりぎり間に合う同7月から実施する運びとなった。

現在、レジ袋の有料化は小売り各社の自主判断だ。環境省によると、有料化に取り組んだ場合に消費者がレジ袋の使用を辞退する割合は平均8割近くにのぼり、値引きやポイント還元で不使用を促すより効果が高いという。日本では富山県が08年に都道府県で初めて有料化し、これまでレジ袋15億枚超を削減した。

一方、環境負荷が少ないレジ袋は有料化の対象から除外する。例えば植物由来の原料を配合したバイオマスプラスチックの配合率が25％以上だったり、微生物などの働きで分解される海洋生分解性プラスチックを使用していたりする場合は対象外とした。厚さ0・05ミリ以上で繰り返し使える袋も対象から外れた。

バイオマスプラスチックを使ったレジ袋は一部の大手企業が導入済みだが、石油由来プラスチックに比べ製造コストが高く、原料の確保なども課題だ。海洋生分解性プラスチックは開発段階でまだ実用化されていない。

持続可能な社会への第一歩
有料ごみ袋から考える環境問題

脱プラ・レジ袋有料化

レジ袋辞退、コンビニで7割
有料化1カ月、3割から急増

［8月1日　文・朝日新聞］

プラスチック製レジ袋の有料化が、すべての小売店に義務づけられて8月1日で1カ月になる。セブン—イレブンなどコンビニ大手3社では、客がレジ袋を辞退する割合が、有料化前の3割から7割超に跳ね上がった。業界が掲げた2030年度までに6割という目標を早くも上回った。マイバッグが浸透しているようだ。

容器包装リサイクル法の省令改正に伴う有料化の義務づけは、プラスチックごみの削減をめざし、7月1日に始まった。コンビニ大手3社は、これに合わせて無料から有料に切り替えた。1枚あたりセブンは3～5円、ファミリーマートとローソンは3円で売り始めた。その結果、いずれも30％前後だったとみられる辞退率は、セブンでは75％、ファミマとローソンでも76％に達した。各社の集計時期にはばらつきがあるが、7月のはじめから下旬までのデータだ。義務化に先立って有料にしたミニストップも75％を超えているという。（中島嘉克、土居新平）

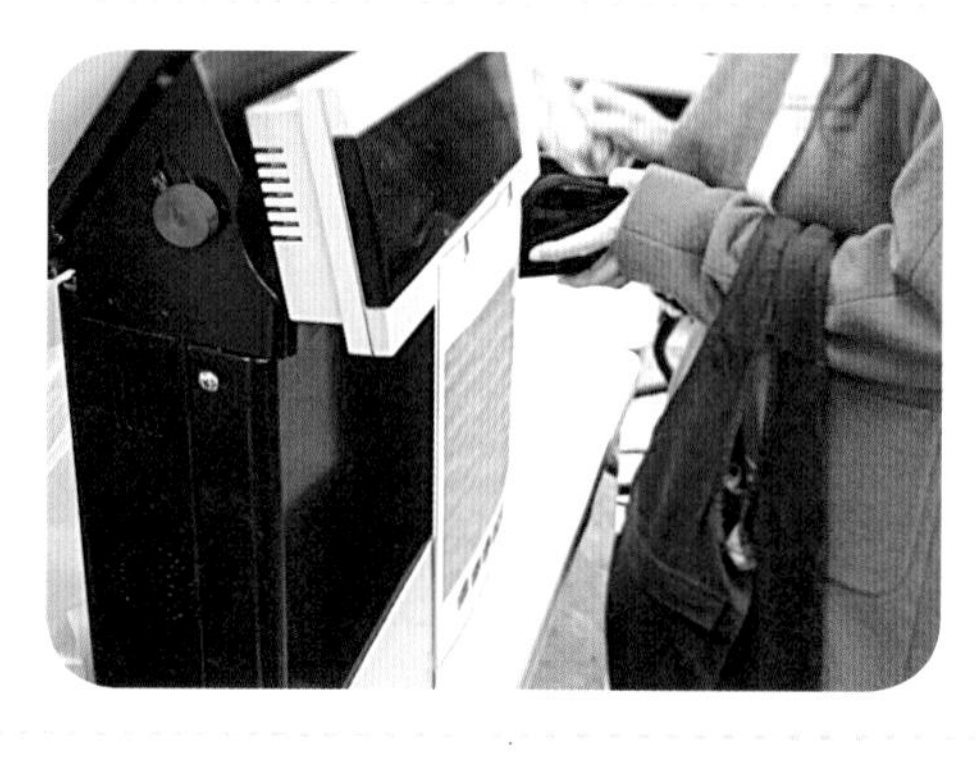

農家　社協
ライ麦ストロー販売へ
脱プラ　地域の〝顔〟に
長野県御代田町

［9月11日　日本農業新聞］

長野県御代田（みよた）町の農家や同町社会福祉協議会などが連携し、地元産のライ麦の茎で作ったストローを15日に発売する。原料は農家らが提供、同協議会が運営するデイサービスや障害者施設の利用者らが加工に参加する。国際的な脱プラスチックの流れの中、ストローの販売を通じて農や地域の活性化を狙う。

同協議会などは昨年9月、町内のイベントで試作品のライ麦ストロー約300本を無料提供し、好評だった。販売には、原料のライ麦や人手の確保などが課題だったが、イベントを通じてストローの存在が広がるにつれて、町内の農家らが協力に手を挙げた。

6月にはストローの製造・販売を目指し、同協議会や農家、地域住民らによる「MIYOTAライ麦ストロープロジェクト」が立ち上がった。5アールでライ麦を栽培し、脱穀後の茎を提供した内堀里江子さん(48)は「ストロー作りを通じて、町の農業や地域が元気になってほしい」と期待する。

ストローはライ麦の茎の太い部分を使う。下部の節を切った後、洗浄、煮沸、天日干しを経て、包装して完成だ。節を切る作業はデイサービスの利用者が行う。洗浄、包装は、障害者就労支援施設の利用者が担う。

完成したストローは長さ18～21センチ。穴の直径は、飲み物が滑らかに口の中に届くように直径4ミリ以上にしている。

はさみで器用に節を取り除くデイサービス利用者の高橋永佑さん(82)は「建具店で働いていたので、手先を動かすと昔を思い出して楽しい」と話す。

茎の細い上部はフィンランドの伝統工芸「ヒンメリ」の材料に使われる。北欧クラフト作家でプロジェクト代表を務める上原かなえさん(39)は「脱プラスチックの流れの中で、既に地元のカフェや東京都内のレストランからストローを使いたいという声がある。取り組みを継続し、御代田町の地域の魅力を伝えたい」と意気込む。

1セット(30本)1500円(税別)で、特設のインターネットサイトで販売。今年は2万本の販売を目指す。

池上彰の視点

地球環境を守り 次の世代につなげる

マイクロプラスチックによる海洋汚染が世界的な問題となり、日本でも“脱プラ”の動きが加速しています。レジ袋有料化はその一歩ですが、スーパーやコンビニに並ぶ商品は、ほとんどがプラスチックで包装されています。今後は、過剰包装を減らしていくとともに、環境負荷の少ないバイオマスプラスチックに切り替えていくことが必要でしょう。そして、私たち一人ひとりが地球環境を守り、次の世代につなげていくという意識を持つことが大切です。

2020 News 23

あかるい環境

CO2削減/SDGs

再エネ比率が急上昇 23・1% 政府目標に迫る

「再生エネ比率、急上昇 20%超え、政府目標に迫る コロナで電力需要減る中 1～6月」

[9月25日 朝日新聞]

国内の総発電量に占める再生可能エネルギーの割合が2020年上半期（1〜6月）に23・1%に達していたことが国際エネルギー機関（IEA）の集計で分かった。再生エネの増加に加え、新型コロナウイルスの影響で電力需要全体が落ち込んだことも影響した。政府は30年度までに再生エネの比率を「22〜24%」にする目標を掲げており、目標の引き上げを求める声が強まる可能性がある。

IEAが日本を含む加盟国から報告された電源別の発電量の速報値を集計した。それによると、日本の20年上半期は、再生エネの発電量が前年同期より18・6%も増えた。太陽光発電が14・3%伸びたほか、建設が進んできた風力も18・5%増、バイオマスも22・7%増と、それぞれ大幅に拡大。降水量が多く、水力発電も21・8%増だった。

一方で、新型コロナの感染拡大で経済活動が停滞したため、総発電量は前年同期比で5・4%減少。燃料費がかかる天然ガスや石油などによる発電が抑えられ、再稼働していた原発も安全対策などで一部が止まった。その結果、再生エネの比率が19年の18・6%から一気に高まった。

日本エネルギー経済研究所によると、再生エネの発電は、冬は減るが春先から増えるため、過去のデータでは、1〜6月の再生エネ比率は1年間を通した比率とほぼ同水準となる。また、IEAの集計は、日本が公式に採用する総合エネルギー統計より再生エネの割合が約1%分大きく出やすいという。同研究所の二宮康司研究主幹はこうした要素を考慮したうえで、「電力需要の減少傾向が続けば、今年は通年でも再生エネ比率が政府目標の22%に迫る可能性がある」と指摘する。

目標達成は新型コロナによる一時的な側面があるものの、再生エネの発電量自体は今後も増加が見込まれる。総発電量の低水準もコロナ後の生活様式の変化で定着する可能性がある。

政府は今後、国のエネルギー基本計画の改定に向けた議論を本格化させる。政府目標の再生エネ比率を引き上げるかどうかが焦点になりそうだ。（桜井林太郎）

日本の電源構成

IEAの統計・電気事業連合会資料より作図
※2012年度は四捨五入の関係により構成比が100%になっていない

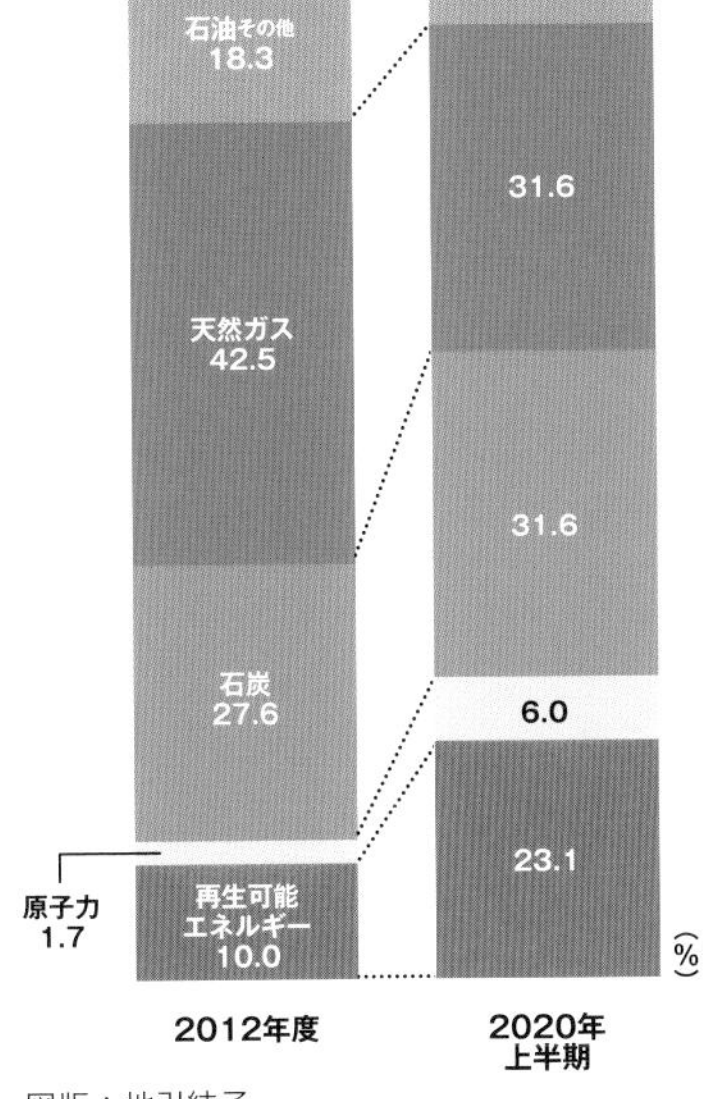

図版：地引結子

民間企業も次々と参入するCO2削減とSDGs達成への取り組み

CO2削減／SDGs

イオン、再エネ１００％で店舗運営、大阪の2店で

［3月26日　文・ＤＣＳオンライン］

画像提供：tktktk©123RF.COM

イオンは同社として初となる再生可能エネルギー１００％使用の店舗の運営を始める。店舗の屋上に設置した太陽光発電設備や関西電力の「再エネＥＣＯプラン」を利用することで、店舗で使用する電力を全て再生可能エネルギーで賄う。

イオンリテールが3月28日に開業する「イオンスタイル海老江」（大阪市福島区）と、２０１９年9月にイオンモールが開業した「イオン藤井寺ショッピングセンター（ＳＣ）」（大阪府藤井寺市）が再エネ１００％で運営される。

イオンスタイル海老江は、関電の再エネＥＣＯプランを活用することで、実質的に再エネ由来の電気を使う。同店では、関電や神戸大学などと共同で、人工知能（ＡＩ）を使って人の流れや温度・湿度などに応じて空調を自動制御するスマート空調システムの実証実験も行う予定で、電気使用量と二酸化炭素（ＣＯ２）排出量を40％削減することを目指す。

一方、14年2月末に営業を終了した「イオンモール藤井寺」を建て替え、再開業したイオン藤井寺ＳＣでは、再エネＥＣＯプランに加えて、屋上に設置した太陽光発電設備を活用する。太陽光発電設備では、一般家庭約30世帯の年間使用量に相当する電力を発電できる。

イオンは50年までに店舗で排出するＣＯ２の総量をゼロにすることを目指しており、日本の大手小売業では初めて、再エネ１００％への転換を目指す国際的活動「ＲＥ１００」に参画している。

沖縄の企業 捨てていたパイナップルの葉で服を製造　ＳＤＧｓ

［７月10日　沖縄タイムス＋］

地域資源を活用した製品の企画・開発に取り組むフードリボン（大宜味村、宇田悦子社長）はパイナップルの葉の糸や反物、衣料などの繊維製品を製造する事業に乗り出す。これまで廃棄されていた葉を資源化することで化学繊維の使用減少など環境負荷の軽減につなげる。

パイナップルの生産量が多い中国や台湾で原料を調達し、製造までする。製造に向けて９日、台湾産業用紡織品協会（台湾紡績協会）、大宜味村との３者でＭＯＵ（覚書）を締結した。

中国と台湾に子会社をそれぞれ年内に設立して、現地企業に製造を委託する。国連のＳＤＧｓ（持続可能な開発目標）への関心が高まる中、環境保護につながる自社ブランド「ＫＩＳＥＫＩ　ＬＡＢＥＬ（キセキレーベル）」に位置付け、衣料メーカーにパイナップル繊維の糸や反物を販売するほか、自社企画の衣料品を開発して収益を得る。

また、繊維を取り出した後の残さから極細のセルロースを抽出し、生分解性プラスチックに配合してストローも製造する。プラスチック製品の削減に取り組んでいる中国で販売していく。宇田社長は「天然繊維１００％で環境に配慮した製品としてブランディングしていきたい」と抱負を述べた。

池上彰の視点

温暖化対策は待ったなしの状態

世界気象機関（WMO）は、2019年９月に2014年から５年間の世界の平均気温が観測史上最も高くなったと発表しました。地球温暖化は、世界各地でさまざまな異常気象や自然災害を引き起こしています。オーストラリアで2019年から2020年２月頃まで続いた未曽有の大規模森林火災も地球温暖化による異常気象が原因といわれています。温暖化対策は世界規模で取り組まなければ意味がありません。未来を守るため、地球規模での団結が求められています。

2020 News 24

あかるい環境

学生たちの活躍

SDGs実現目指し ユーグレナCFO 女子高生が挑む

「CFOは17歳の女子高生　ユーグレナ、若者と共にSDGsの活動を加速」

［2月17日　日経ESG］

ユーグレナは2019年10月、17歳の女子高生を初代CFOに任命した。持続的成長に向けて、将来世代の声を経営に取り入れる。

ユーグレナの初代CFOに選ばれたのは、東京都内の高校に通う小澤杏子さん。CFOといってもChief Financial Officer（最高財務責任者）ではなく、Chief Future Officer（最高未来責任者）だ。今後、同社が取り組む2030年に向けたSDGs（持続可能な開発目標）に関するアクションや目標の策定に参画する。小澤さんに心境を聞いた。

——なぜCFOに応募したのですか。

小澤杏子さん（以下、小澤）　SDGsは使いやすい言葉というか、「将来のことを考えていますよ」「SDGsを考慮してますよ」と口先だけなら誰でも言えてしまいます。目標だから。実際に行動に移したり、計画したりするのはハードルが上がります。でも、ユーグレナはSDGsの活動を形にできると思ったんです。

私は、今、「フラボノイドと腸内細菌の関係」をテーマに研究をしていて、これをどう形にしていくか、社会にどう還元していくかをいつも考えています。ユーグレナはそもそも、研究を形にするというところからできた会社で、それに成功しています。SDGsの活動もきっと形にできると思っています。私もその一員になりたいです。

——ユーグレナは、飛行機や自動車が排出するCO2を減らすためにバイオ燃料の開発・普及を進めています。環境問題についてはどのように考えていますか。

小澤　環境問題に関心を持ったのは、中学2年生の頃にキリンのワークショップに参加したのがきっかけです。原料の生産者がレインフォレスト・アライアンス認証を取得できるように、キリンが技術を教え、できた農産物を買い取るという活動を続けているのを知りました。それまで貧困問題などについて学んでいたものの、自分の中で可視化できていませんでした。キリンのワークショップでは現地の様子を写真で見ることができたのでイメージが湧き、理解が深まりました。それ以来、環境問題は頭の片隅にいつもあります。

——将来、どんな仕事をしたいですか。

小澤　私は本を読むのが好きなんです。社会問題に関するニュースや記事にも興味があって、気になる報道があったらネットで調べて、関連記事をパパッと読む。そんなことが習慣になっています。雑学を増やしていくのが楽しいんです。話すのもけっこう好きです。人と話し、外と何らかの関わりが持てる仕事ができたらとぼんやり思っています。

写真：尾関裕士

感じた疑問を行動に若い世代自らが動き、未来を作っていく

学生たちの活躍

海ごみ拾い活動を紹介 知名町のうじじきれい団

［7月17日 南海日日新聞］

沖永良部島の海岸でごみ拾いに取り組む3姉妹「うじじきれい団」が14日、大阪の専門学生に対し、オンライン講義を行った。2017年から漂着ごみの回収を続けている3人は活動内容を紹介し、「海の生物を守るために頑張っています」と元気に発表した。

オンライン講義はOCA大阪デザイン&ITテクノロジー専門学校の地域創生をテーマにしたゼミの学生向けに行った。

3姉妹は、知名町の下平川小学校6年の竿りりさん（11）、同4年のはなさん（9）、同2年のめいさん（7）。「環境問題」をテーマに作文を書くという、りりさんの夏休みの宿題をきっかけにごみ拾いを始めた。

同町のウジジ浜などで約3年間、ほぼ毎日15分間の海岸清掃を実施してきた。漂着ごみはペットボトルや漁具などプラスチックごみが多いと報告。集めたマイクロプラスチック（紫外線や波の影響などで劣化して5㍉以下になったプラスチック）を環境教育の教材用に販売していることも紹介した。

提供：南海日日新聞

「お菓子の過剰包装やめて」都内の高校生、署名1万8000人分を亀田製菓に提出 きっかけは自粛生活

［7月29日　東京新聞すくすく］

お菓子の過剰包装をなくしてほしいとインターネット上で署名を集めていた東京都内の私立高校1年の女子生徒（16）が28日、亀田製菓東京オフィス（東京都中央区）を訪れ、集まった1万8737人分の署名を手渡した。

■亀田製菓の担当者「2030年までに環境配慮の包装目指す」

女子生徒は、新型コロナウイルス感染拡大に伴う外出自粛生活の影響でプラごみ問題を考えるようになった。「ごみ削減は自分の力だけではどうしようもない」と亀田製菓に協力を訴えた。

亀田製菓の担当者は、2030年までに全商品で環境に配慮した包装を目指していると説明。「環境と安全、安心を守ることを両立させるため、社内で意見を反映させていきたい」などと話した。

女子生徒は、オンライン署名サイト「change.org」で、日ごろ食べているという亀田製菓とブルボン（新潟県）に求める署名活動を5月から始めた。今後、ブルボンにも署名を渡す。

池上彰の視点

自ら行動して豊かな未来の実現へ

今は、何事に対しても関心さえあれば、インターネットを通じて簡単に情報収集ができ、同じ思いを持った仲間とつながることができます。学校や地域といった身近な事柄だけでなく、社会問題や環境問題においても同じです。若者たちが「自分たちの未来は自分たちで切り開く」という意識を持ち、積極的に活動する姿は、実に清々しく、同時に心強く思います。彼ら彼女らの行動が豊かな未来の実現につながっていくことに期待し、応援していきましょう。

2020 News 25

あかるい科学・技術

チバニアン

地球の地質時代名に「チバニアン」日本の研究水準の高さ世界へ示す

「地球史の地質時代名に『チバニアン』国際学会が決定」

［1月17日 日本経済新聞］

国立極地研究所などは17日、地球の歴史の一時代が千葉の名前を冠した「チバニアン（千葉時代）」と命名されることが決まったと発表した。国際地質科学連合が韓国・釜山で会合を開き、最終承認した。77万4000年前から12万9000年前の時代の始まりを告げる痕跡が千葉県市原市の地層にあり、時代の名前にふさわしいとして日本チームが申請していた。

46億年におよぶ地球史は、当時の様子を示す地名などをもとに名前をつけるのが通例となっている。地球史の一時代を日本の地名が飾るのは初めて。数々の物証から時代を証明するのは簡単ではなく、日本の地質学の水準の高さを改めて世界に示した。

これまで77万4000年前から12万9000年前の地質時代は、暫定的に「中期更新世」と呼んでいた。今後、国際学会である国際地質科学連合が世界に周知し、「千葉時代」を意味する「チバニアン」が教科書や研究論文で使う正式名称になる。

地球の歴史は、隕石（いんせき）の衝突や寒冷化などの節目ごとに117の時代に分けている。これらを地質時代と呼び、名前がついていないのは10程度を残すだけとされていた。

地球では、方位磁石の指すN極が北とは向きが逆になる「地磁気の逆転」と呼ぶ現象がたびたび起きていた。最後は約77万年前で、そこから約13万年前までが名前の定まっていない時代の1つだった。

研究チームは市原市の地層に地磁気逆転の痕跡を見つけ、一時代を代表する地層だとする申請を2017年に実施。国際学会は他に申請のあったイタリアの2地点を含めて審査していた。

最終選考に唯一残った日本チームが選考の上で重視されたのが地磁気の逆転をいかに証明するかだった。

市原市の地層には磁石の性質を持つ鉱物が含まれ、逆転の様子を克明に記録していた。逆転が起きた時期が複数の手法で説明できたうえ、当時を物語る花粉や化石を含んでいたことも今回の決定を後押しした。

申請に必要な資料は茨城大学や極地研を中心に30人以上の地磁気や化石など多分野の研究者らがまとめた。地層が含む微量成分の解析から、最後の地磁気の逆転が起きていた時期を高い精度で特定するなど、質の高いデータをそろえた。

イタリアの2地点は鉱物の性質が変化していたり、地磁気逆転のタイミングが手法ごとにずれていたりしたとされ、適切な記録と認められなかった。

市原市の地層は、チバニアンの時代における気候変動や生物化石など、当時の環境を知るうえで世界で最も優れた現場として国際学会のお墨付きを得た。

チバニアンの時代は、現代人と同じ人類「ホモ・サピエンス」が生まれた時期とも重なる。国内外の多くの研究者が千葉に注目すれば、千葉を舞台とした気候学や地質学などの研究が盛んになる。国内における研究も発展し、次世代の研究者の育成にもつながると期待される。

地元の地層が世界で使われる地質時代の名称に決定
復興のさなかに届いた福音

チバニアン

被災地・市原に待望の朗報
復興へ「また頑張れる」
チバニアン決定

【1月18日　千葉日報】

申請から2年半、市原市の地層に由来する「チバニアン（千葉時代）」が17日、地球の歴史に刻まれることが決まった。2020年が始まったばかりでの「朗報」を受け、市は広報紙の号外を発行。市内では昨秋に相次いだ災害で甚大な被害が出ており、市民からは復興へ「また頑張っていこうと思えた」と声が上がり、日本初の快挙に「市原の名前が世界に広まる」と地域活性化への期待も広がった。

17日午後、チバニアン決定が市役所に伝えられると庁舎には垂れ幕が掲げられ、広報紙の編集を担当するシティプロモーション推進課では号外発行の準備に追われた。

同課の石井達矢さん（37）は「昨年は台風15号などでつらい時期もあったけど、新年早々いい話題を発信できてうれしい」と声を弾ませ「命名をきっかけに、魅力の詰まった市原市に多くの人に足を運んでもらいたい」。

号外は1500部印刷され、市内のJR五井駅や大型商業施設などで配布された。小出譲治市長も五井駅に駆け付け「チバ

提供：千葉日報

ニアン誕生」を伝える号外を市民に手渡した。

「まだまだ台風の影響で落ち込んでいる人もいる中で、これからまた頑張っていこうと思えた」。号外を手にした会社員の大内直子さん（46）は笑顔を見せ、娘の綾さん（22）も「市原の名前が世界に広まりうれしい」と目を細めた。

会社員の大和田尚美さん（49）は「昨年は台風など嫌なことが続いたけど、年始からいい話を聞けた」と喜んだ。

市内の高校に通う平原優里愛さん（17）は「ネットニュースで内容を知った。近くに歴史に残る場所ができたことがすごい」と驚きの表情。友人の山口菜々子さん（18）も「地元が有名になってびっくりしている。チバニアンをきっかけに市内のことをもっと知ろうと思えた」と目を輝かせた。

地層がある田淵地区の鈴木一成町会長（66）は「地質研究や教育の場、観光と地域の活性化にチバニアンが活用されればよい」と歓迎した。地層の成り立ちなどを紹介する小中学生向けのDVD作成に関わった市立双葉中の斎藤和則教頭は「命名をきっかけに子どもたちの地学などへの関心が高まればうれしい」と期待した。

住民有志でつくる「田淵わかば会」は、仮設ガイダンス施設「市原田淵地磁気逆転地層ビジターセンター」を管理している。石井あゆみ代表（62）は「地層について、皆さんに価値を伝え理解してもらう責任を感じている。地域活性化につなげなければならない」と話した。

池上彰の視点

チバニアンを理科離れ対策に活用

近年、子どもの理科離れが深刻化しているといわれています。テクノロジーが身近なものとなり、仕組みを理解しなくても使える機器に囲まれていると、理科に縁遠さを感じるのかもしれません。そうしたなかで、「チバニアン」の決定は、子どもたちの理科に対する関心を高めるきっかけになるものです。千葉県の子どもたちだけでなく、全国の子どもたちに「チバニアン」を知ってもらい、地質学を含めた理科への興味喚起を図っていけるといいですね。

2020 News 26

あかるい科学・技術

スパコン富岳

スパコン「富岳（ふがく）」計算速度世界一へ 日本勢1位は9年ぶり

「理研『富岳』が計算速度で世界一 日本スパコン9年ぶり、初の4冠」［6月23日 文・共同通信］

世界のスーパーコンピューターの性能を比べる専門家のプロジェクト「TOP500」は22日、最新の計算速度ランキングを発表し、理化学研究所計算科学研究センター（神戸市）の新型機「富岳」が世界一に輝いた。計算速度は毎秒41京5530兆回で前回王者の米国のスパコンを大きく引き離した。日本勢の1位は昨年に運用を終えた理研の「京（けい）」が2011年に達成して以来9年ぶり。理研によると、富岳はその他3部門でも1位となり世界初の〝4冠〟達成となった。

　その他3部門は、産業利用でよく用いる計算手法の性能、人工知能の分野で使う計算の性能、ビッグデータ解析の指標となる解析性能。

提供：理化学研究所

高速の計算だけでなく、人工知能も搭載
裾野を広く、「みんなのスパコン」を目指して開発

スパコン富岳

「富士山のように」スパコン「富岳」開発責任者　松岡聡さん

［7月21日　産経新聞］

「富岳はまさに自分のスパコンの理想像を具現化した存在だ」。理化学研究所計算科学研究センター長で、スーパーコンピューターの世界ランキングで首位に立った「富岳」の開発責任者。富岳は計算速度だけでなく人工知能（AI）や大規模データの計算性能などを競う実用性の部門でもトップとなり、ユーザーの広がりを大いに期待させるデビューとなった。

東京都出身。高校から東京大大学院に在籍していた間、ソフトウエア開発会社「HAL研究所」で家庭用ゲームソフトの開発に携わり、任天堂元社長の故岩田聡氏と共作した「ピンボール」などを生み出した。

38歳で東京工業大教授に就任。同大のスパコン「TSUBAME」シリーズの開発を手掛け、その1号機の設計をしていた際、プレゼン用資料に「スパコンの理想像」として描いたのが富士山のイラストだった。

「当時は今より『スパコンは特殊なエリートたちのもの』という考え方が、業界内でも強かった。でも、スパコンは富士山のように性能は高く裾野は広くなければ持続性はない」。「みんなのスパコン」と銘打ち、TSUBAME1号機では汎用性を実現しつつ、当時国産トップだったスパコン「地球シミュレータ」の性能を打ち破った。

30年近い研究人生で、たどり着いたのが「富岳」だった。名称は公募の中から委員会で選ばれたが、富士山の別称となった。「偶然に運命的に僕の長年のスパコン研究の理想像と一致した。『やはりこれだよね』と導かれた気がした」

スパコン開発は、その頂に迫るにつれ、物理的・技術的な限界点を迎えつつある。だが、目指す先は変わらない。「進化があるからこそ新しいものを作る。富岳で立ち止まらず、さらに画期的なマシンを。それがわれわれの課題であり、目標だ」（有年由貴子）

岡谷の技世界一支えた　スパコン富岳「寿精工」が　冷却装置部品加工

［7月1日　信濃毎日新聞］

スーパーコンピューターの計算速度を比べる最新の世界ランキングで1位になった日本の新

型機「富岳」の開発に、岡谷市の金属精密加工の寿精工が冷却装置の部品加工で携わった。膨大な計算で生じる熱を冷やし、正常に稼働させるために重要な部品で2千個が使われている。木村健司社長（71）は30日、「日本の技術力を示すプロジェクトの一端を担え、名誉でうれしい」と語った。

手掛けた部品は、ステンレス製の筒状で直径約8センチ、重さ約1・5キロ。冷却水を富岳に循環させるため加工の過程で変形しやすく「真円で平たんに加工するのが大変だった」と木村社長。医療機器や自転車向けの部品加工で培った技術で難題を克服した。

同社は1984（昭和59年）設立で、従業員数は約30人。今回は、取引の長い都内の電子部品商社と2018年9月から協議を重ねた。試作に取り掛かり、19年11月に受注した。

富岳は理化学研究所と富士通が手掛け、計算科学研究センター（神戸市）に設置。21年度中に本格稼働する予定で、木村社長は「新型コロナウイルスの新薬開発や防災のシミュレーションなどでの活躍を期待したい」と話した。

提供：信濃毎日新聞

順位にこだわらず汎用性を追求

スパコンといえば、蓮舫議員の「2位じゃダメなんですか？」という発言を記憶されている方も多いと思います。今回、「富岳」は4つの部門で1位を獲得しましたが、そもそも「富岳」は1位を目指して開発されたものではなく、目標とされたのは「実用的で、役に立つ、汎用性の高さ」でした。つまり蓮舫議員の発言を受け止めた形で開発が進められたのです。順位に拘泥（こうでい）せず、世界最高の性能を実現した「富岳」が日本にもたらす価値に期待しましょう。

進歩し続ける医療

ユニクロ会長が100億円研究費寄付　「日本を良くしたい思い変わらない」

「ユニクロ会長が100億円寄付　京大・山中、本庶教授の研究支援」［6月24日　文・時事通信］

衣料品店「ユニクロ」を展開するファーストリテイリングの柳井正会長兼社長は24日、ノーベル医学生理学賞受賞者で京都大の山中伸弥、本庶佑(たすく)両教授の研究を支援するため、10年間で総額１００億円を寄付すると発表した。

山中氏は再生医療に用いる人工多能性幹細胞（iPS細胞）を作る施設を２０２１年から建設。現在は備蓄する他人のiPS細胞を使っているが、拒絶反応を防ぐため患者自身に由来するiPS細胞を１００万円程度で提供する技術について25年3月ごろの実用化を目指す。

柳井氏からの寄付50億円のうち45億円をこれらの事業に充て、5億円はiPS細胞を用いた新型コロナウイルスの病態解明やワクチン開発に用いる。

また、がん免疫療法を開発した本庶氏の研究と若手研究者の育成を支援するため、京大に「柳井基金」を設置し、50億円の寄付全額を充当する。山口県宇部市で育った本庶氏が同市出身の柳井氏に支援を求め、同氏が応じたという。

3氏は京大で記者会見し、柳井氏は「生物や医学はまだまだ分かっていないことの方が多い。われわれは、世の中、日本を良くしたい思いは変わらない」と語った。

本庶氏は「使途が定められていないことが民間基金の有利な点だ」と強調。山中氏は「こういう寄付は研究組織を運営していく上でありがたい」と話した。

写真：毎日新聞社/アフロ（左より本庶氏、柳井氏、山中氏）

医学の進歩により、守られる私たちの健康 最新の医療で人類共通の危機に立ち向う

進歩し続ける医療

コロナワクチン、希望者全員無料に政府検討

［9月2日　文・日本経済新聞］

新型コロナウイルス感染症のワクチンについて政府が希望者は全員無料で接種できるようにする案を検討していることがわかった。まずは重症化するリスクの高い高齢者や医療従事者などを優先し、その後広げる。全額を国費でまかない、多くの人が速やかに接種できる体制を整える。

接種の進め方の詳細は感染症の専門家や経済学者らを集めた新型コロナウイルス感染症対策分科会などで詰める。

2009年から10年にかけて新型インフルエンザが流行した際は、自己負担が原則で料金の目安は1回で3600円、2回で6150円だった。低所得者に限ってはワクチン接種費用を国と地方が補助した。

今回は予備費を活用して無料とする案を検討している。全額を国費でまかない、自治体は負

画像提供：ペイレスイメージズ/123RF.COM

担しない。

新型コロナのワクチンは現在は開発段階。政府は実用化を見据えて米ファイザーや英アストラゼネカなど複数の製薬会社と日本向けの供給の交渉を進めている。順調に運べば21年の初頭には国内で接種が始められる見通しだ。21年前半までに国民全員分の量の確保をめざす。

政府は円滑な接種が進む仕組みを構築するとともに、健康被害が生じた際の救済措置も設ける方針だ。訴訟で製薬企業が支払う賠償金を国が肩代わりする制度も整える。

京大、「ミニ気管支」を作製 新型コロナ薬開発に期待

［6月3日　共同通信］

京都大iPS細胞研究所や大阪大微生物病研究所のチームは3日までに、人の気管支の細胞から複数の種類の細胞でできた気管支の小さな組織を体外で作ることに成功したとウェブ上で発表した。この「ミニ気管支」に新型コロナウイルスを感染させ、既存薬でウイルスが減ることも確認したという。治療薬開発に役立つ可能性がある。

立体的に再現したさまざまな臓器を作る取り組みは世界中で進められている。気管支は新型コロナ感染症の症状が現れやすい肺とつながる。ミニ臓器を使うことで、単一の細胞より人の体に近づき、薬の安全性や有効性の検証が期待できる。

世界が協調して ワクチンの公平利用を

新型コロナウイルスに対抗するワクチンの開発が世界各国で進められ、8月にはロシアが世界に先駆けてワクチンを承認。他にも多くのワクチンが臨床試験段階に入り、世界を挙げての開発競争が過熱していますが、一部では公平利用への懸念も聞かれます。ワクチンの開発は人類の未来を左右する重要な課題であり、自国の利益だけを優先し、覇権争いに利用するべきではありません。世界が協調して、人類の危機に立ち向かうことが大切です。

2020 News

28

あかるい科学・技術

宇宙への接近

UAEの火星探査機「HOPE」打ち上げ成功、種子島で

「UAE、中東初の火星探査機打ち上げ成功 三菱重工が発表」

［7月20日 文・日本経済新聞電子版］

三菱重工業は20日、アラブ首長国連邦（ＵＡＥ）の火星探査機を載せたロケット「Ｈ２Ａ」の打ち上げに成功したと発表した。午前6時58分に種子島宇宙センター（鹿児島県）から打ち上げ、約1時間後に探査機を分離して目標の軌道に載せた。中東の国が飛ばす初の火星探査機となる。

ＵＡＥの宇宙機関「ムハンマド・ビン・ラシード宇宙センター（ＭＢＲＳＣ）」から受注した火星探査機「ＨＯＰＥ」を打ち上げた。三菱重工が火星探査機を送り込むのは初めて。火星を周回し水蒸気やちりなどを調査する目的で、２０２１年２月に火星を周回する軌道に入る。打ち上げは当初は15日の予定だったが、天候悪化により延期していた。

写真：ロイター/アフロ

20日の記者会見でＭＢＲＳＣのユーサフ・ハマド・アルシャイバニ長官は「美しい打ち上げを感謝している。日本のパートナーと近い将来一緒に仕事をするのが楽しみだ」と話した。同国は石油など資源に依存する経済からの脱却のため、宇宙探査など科学技術分野の強化に注力している。２１１７年の火星への移住計画を進めている。

三菱重工のＨ２Ａロケットは今回で42号機になり、同世代機の「Ｈ２Ｂ」と合わせて45回連続で打ち上げに成功した。成功率は両機種合計で98・０％と、世界水準の95％を上回り続けている。

Ｈ２Ａの海外顧客からの受注は今回で4回目となる。三菱重工の阿部直彦防衛・宇宙セグメント長は「信頼の高さを次世代ロケット『Ｈ３』に引き継いでいく。少しずつ海外顧客に利用してもらえている」と手応えを語った。

宇宙航空研究開発機構（ＪＡＸＡ）と次世代の国産ロケット「Ｈ３」を開発しており、打ち上げ回数を増やしてコストを半減する方針だ。今回の打ち上げが海外の重要プロジェクトを受注する呼び水となることを期待している。

火星と地球が約2年2カ月ぶりに近づく今夏は、火星探査機を積んだロケットが海外で相次ぎ打ち上げられる。日本は24年度にＪＡＸＡが主導する火星衛星探査計画「ＭＭＸ」を予定しており、三菱電機が探査機システムを受注し、川崎重工業がサンプリング装置を開発するなど国産技術を結集する方針だ。

火星探索、宇宙ステーション近づく宇宙で活用される日本の技術

宇宙への接近

日本人飛行士の月面着陸に道 日米、探査協力で共同宣言

［7月10日　日本経済新聞］

文部科学省と米航空宇宙局（NASA）は10日、米国が主導する月探査計画に日本が協力するとの共同宣言に署名した。将来の日本人飛行士の月面着陸の可能性に道を開く内容だ。

萩生田光一文科相とブライデンスタインNASA長官がオンラインで会談し、署名した。米国は2024年までに再び米国人宇宙飛行士の月面着陸を目指す「アルテミス計画」を掲げる。月探査や将来の火星探査の拠点として、月を回る軌道に宇宙ステーション「ゲートウエー」の建設を計画する。

日本は19年10月、米国の月探査計画への参加方針を表明し、具体的な技術協力の内容について協議してきた。共同宣言では、日本が地球を周回する国際宇宙ステーション（ISS）の経験を生かしてゲートウエーの機器などを提供するほか、新型の無人補給機「HTV-X」を使った物資補給も検討する。

政府は日本人飛行士がゲートウエーに滞在したり、月面に着陸したりする機会の確保を目指している。文科省は共同宣言によって「日本人飛行士の活動機会の見通しが得られた」と話す。具体的な活動については今後詳細を詰める。

日本は現在、ISSに年間約300億～400億円を投じている。地球からの距離がISSの約1000倍遠いゲートウエーの費用負担はこれを上回りそうだ。

ゲートウエーはISSの国際協力の枠組みを引き継ぎ、日本のほか、欧州やカナダも参加を表明している。日本はISSの実験棟「きぼう」の技術を応用し、ゲートウエーの「ミニ居住棟」に電源機器などを提供する。ミニ居住棟はNASAが23年に打ち上げる計画だ。24年の有人月面着陸の際に通信の中継に活用する可能性がある。

宇宙飛行士が長期滞在するための「国際居住棟」は日米欧で分担し、日本は空気や水を制御するシステムや電源機器などを提供する。国際居住棟は25年に打ち上げる予定だ。

宇宙航空研究開発機構（JAXA）は月面へのピンポイント着陸を狙って22年度に小型探査機「SLIM」を打ち上

げる。観測データはNASAと共有する方針だ。

スペースからあげクン、「宇宙日本食」になる

［6月10日　文・ImpressWatch］

ローソンがJAXA（宇宙航空研究開発機構）や製造メーカーと協力して開発した「スペースからあげクン」が、6月8日に「宇宙日本食」に認証された。コンビニのオリジナル商品が宇宙日本食として認証されるのは初めて。

スペースからあげクンは、宇宙飛行士からの〝宇宙でもお肉が食べたい〟という声を受け、2017年2月から開発に取り組んできた。ISS（国際宇宙ステーション）に滞在する宇宙飛行士に提供する宇宙日本食として、フリーズドライ化し、2019年10月に11カ月の保存性試験に合格し、JAXAが宇宙日本食認証基準の特例に定める野口飛行士向け「Pre（プレ）宇宙日本食」としての認証を受けた。その後、1・5年までの保存性試験を継続・完了し、今回「宇宙日本食」認証を受けた。

今後、ISS長期滞在を予定している日本の宇宙飛行士に食べて貰う予定。ローソンでは、「日本食の味を楽しんでもらい、長期滞在の際の精神的なストレスを和らげ、仕事の効率の維持・向上につなげてほしい」としている。

提供：ローソン

宇宙の平和利用
改めてルールづくりを

テクノロジーの進化に伴い、宇宙という存在が身近なものとなりつつありますが、楽観視ばかりはできません。宇宙は陸海空に続く「第4の戦場」といわれ、米中を中心に軍事利用や資源開発を目的とした覇権争いが続いています。1967年に発効し、宇宙空間の平和利用を明記した「宇宙条約」は、形骸化しています。宇宙における軍事衝突という最悪の事態を避けるために、宇宙空間を利用する上での新たな国際ルールづくりを急ぐべきでしょう。

ラグビー

ラグビーワールドカップ 歴史的な快進撃 日本ベスト8

「日本、歴史刻んだ　4強逃す
ラグビーW杯」
［2019年10月21日　朝日新聞］

ラグビーの第9回ワールドカップ（W杯）日本大会は20日、初めて8強に進んだ日本が東京スタジアム（東京都調布市）で南アフリカとの準々決勝に臨み、3－26で敗れた。欧州や南半球の強豪に続く、史上9チーム目となる準決勝進出はならなかった。

1次リーグを4戦全勝で勝ち抜いた日本は前半、トライで先行されたが、ボールを支配して攻め続け、田村優がペナルティーゴールを決め2点差で折り返した。しかし、疲れが見えた後半は自陣で反則を繰り返してリードを広げられ、連続トライを許した。

初の決勝トーナメントで、優勝2度を誇る南アから、「スポーツ史上最大の番狂わせ」と呼ばれる前回大会での勝利に続く白星を狙ったが、力尽きた。第1回大会から連続出場している日本のW杯通算成績は8勝23敗2分け。前回大会からの連勝は6で止まった。

■「本気」の南アに進歩示す

敗れた日本の選手たちが最後の円陣を組んだ。「胸を張ろう」。主将のリーチ・マイケルが語りかける。選手は涙にくれた。温かい声援が彼らを包み込んだ。

4年前のW杯、1次リーグで南アを相手に日本は逆転勝利を演じた。その後、リーチは相手選手から「油断があった」「日本戦の次を考えていた」と打ち明けられた。今回は違う。負ければ終わりの決勝トーナメント。日本が「本気」の強豪・南アに挑み、後半途中まで接戦を演じた。

提供：朝日新聞社

開始早々にトライを許したが、その後は流れを引き寄せた。前半は、ほぼ日本のペース。そこに4年間の進歩があった。

ボールキープだけではなく、機を見てキックで敵陣へと仕掛けた。タックルを受けながら、リスク覚悟でパスをつなぎ、前進した。

エディ・ジョーンズ前ヘッドコーチ（HC）時代は認められなかった「攻め」のプレー。それを状況に応じて使いこなす「スマートな（賢い）ラグビー」をジェイミー・ジョセフHCは求め、体と頭が疲れた状態で実戦練習を重ねてきた。

ただ、初めて経験するW杯の5試合目。後半の疲労は想像以上だった。南アに許した連続トライは、いずれも日本が敵陣に入りながら、そこからボールを運ばれたもの。力と速さに屈した。

「南アが100％の力をぶつけてきて、日本は対応できなかった」とリーチ。決勝トーナメントという未知の領域に足を踏み入れ、勝負の厳しさを知った。この経験はきっと成長につながる。（能田英二）

国籍、国境を超えて互いへの敬意を表す世界をワンチームにしたラグビーの力

ラグビー

東京の8歳がウルグアイ国歌斉唱「素晴らしい」と反響

［2019年9月25日　朝日新聞デジタル］

東日本大震災の被災地で唯一、ラグビーワールドカップ(W杯)日本大会の会場となった岩手県釜石市で25日に行われたフィジーとウルグアイ戦。試合前、「マスコットキッズ」としてウルグアイの主将と一緒に入場した東京都の8歳の少年が選手と一緒に国歌を斉唱した姿が反響を呼んでいる。

W杯の公式ツイッターは「素晴らしい瞬間」として、ウルグアイの選手が少年と肩を組んで国歌を歌い、斉唱後に少年の頭をなでて敬意を表する姿を紹介した。

ラグビースクールに通う少年は「友達は野球やサッカーと比べてラグビーをあまり知らない。だから、僕がラグビーやW杯の面白さを伝えたい」と、大会公式スポンサーのランドローバーが募った、選手と一緒に入場するマスコットキッズに応募。8月下旬にウルグアイとの入場が決まると、元日本代表主将の廣瀬俊朗さんらが立ち上げた参加チームの国歌を覚えるプロジェクト「スクラムユニゾン」が公開している動画を見て、スペイン語の歌詞を覚えたという。

提供：朝日新聞社

試合は格下のウルグアイが、懸命の防御と仕事量でフィジーを破る番狂わせを演じた。

試合後、ファンマヌエル・ガミナラ主将は報道陣に対して自ら「とても驚いたことがあった」と切り出した。「僕と一緒に入場した子どもが国歌を一緒に歌ってくれたんだ。自分の国にいるように感じた。日本の皆さんに感謝したい」と述べ、「ありがとう」と日本語でお礼した。

ウルグアイのW杯での勝利は2003年大会のジョージア戦以来。少年の頑張りが、ウルグアイの16年ぶりの白星に力になったかもしれない。(野村周平)

北九州市がウェールズ有力紙に全面広告友情の交換へ

［2019年11月8日　小倉経済新聞］

北九州市は11月7日、ラグビーワールドカップで北九州入

りした「ウェールズ」代表チームに感謝を伝える全面広告を、地元有力紙「Western Mail」に掲載した。

準決勝まで進んだウェールズ代表チームは惜しくも3位決定戦も敗退したが、北九州市でキャンプをしたこと、公開練習に市民1万5000人が詰め掛けたこと、市民がウェールズ国歌の練習を重ねたことなどに対して、11月2日付毎日新聞に全面広告を掲載。「北九州市は私たちウェールズ国民にとって、特別な場所になりました」（原文ママ）と感謝を伝えた。

国際スポーツ大会推進室の担当者は「市民のみならず市出身者、幅広い方々に喜ばれ、『北九州市民であることを誇りに思う』などの声が多く寄せられた。シビックプライドの醸成にも大いに寄与した。ウェールズと北九州市との絆を強固なものにするために広告を掲載した」と言う。両都市の友情メッセージの交換となった。

広告では「ラグビーウェールズ代表チームとウェールズの皆様へ。私たちの街をあなた方のホームとして選んでくれてありがとう。皆さんをお迎えし、15000人を超えるファンに向けた公開練習を実施できたことは、私たちにとって名誉なことでした。また、皆様の美しい国歌を学び、歌うことができ、光栄に感じています。ラグビーを通じて日本を盛り上げていただき御礼申し上げます。北九州にお越しいただく際は、いつでも歓迎します」（市発表の原文）という内容を英文でつづっている。

池上彰の視点

ワンチームから読み取る多様性のあり方

チーム一丸となって勝利を目指すラグビー日本代表チームの姿は、日本中に大きな感動を呼びました。出身国に関係なく、多種多様な選手が集まったチームは、多様性の大切さを体現すると同時に、世界で深刻化が進む民族分断の空虚さを物語っているようにも感じました。スポーツは私たちに多くの示唆（しさ）を与えてくれます。日本国内はもちろん、世界中がワンチームとなれば、偏見や差別などがなくなり、皆がより過ごしやすい社会になるのではないでしょうか。

陸上

日本新記録の大迫傑（すぐる）「ほっとした」競技の普及にも意欲

「日本新記録の大迫『ほっとした』東京マラソン一夜明け　表情穏やか」［3月2日　文・毎日新聞］

写真：つのだよしお/アフロ

東京オリンピック男子代表選考会を兼ねた東京マラソンで日本新記録をマークし、五輪代表へ大きく前進した大迫傑（28）＝ナイキ＝がレースから一夜明けた2日、東京都内で記者会見し、「一つ終わってほっとした」と落ち着いた口ぶりで話した。

大迫は一時は集団から遅れながら32キロ過ぎに日本選手トップに立って走りきったレースについて、「状況、状況に応じてベストな選択をすること」を意識し、冷静に走ったと説明。「全体的に速いペースになったのでスタートからすべて大事だった」と振り返った。

一方、競技の普及についても意欲を見せ、「僕がいい走りをすることで子どもたちのモチベーションになってもらいたい」としたうえで、自らを超える選手を育成するために「スクールや大会をしたい」と語った。

日本新記録により贈られる1億円の報奨金については、来春に国内で自らが主催する大会の開催費に充てる意向で、「日本人の限界に挑戦する、というのがコンセプト。マラソンだけでなく他のイベント（5000メートルや3000メートルなど）も考えている」と構想を明かした。（荻野公一）

五輪の延期で生まれたつながり 伝説のランナーへの思いを込めたサルビア

陸上

サルビアが結ぶ『絆』 東京五輪延期…企業・個人が「里親」に

［8月26日　福島民友新聞］

今年の開催が予定されていた東京五輪聖火リレーで、須賀川市のコースを彩るはずだったサルビアの花が全国に広がっている。新型コロナウイルスの影響による五輪の延期で行き場を失った花を企業や個人が「里親」として引き取り、同市出身の1964年東京五輪マラソン銅メダリスト円谷幸吉の名とともに、五輪を通じた新たな絆を結んでいる。

サルビアは、前回東京五輪の聖火リレーで須賀川市のコースを飾った。同市の市民団体「円谷幸吉・レガシーサルビアの会」が前回大会の「サルビアの道」の復活を図ろうと、本県を出発する聖火リレーコースに展示する目的で育ててきた。

しかし、3月の聖火リレー直前に東京五輪の延期が決定。会員らが大事に育ててきた約6000株のサルビアの花は行き場を失った。

救いの手は、東京都から

提供：福島民友新聞

差し伸べられた。サルビアのことを知った都内の城南信用金庫が3月に支援を申し出た。同会の活動を紹介するパネルを作成して届いたサルビアと共に本店に展示したほか、各支店にもサルビアを飾った。

すると、同会には「サルビアを引き取りたい」などの問い合わせが寄せられるようになったという。同会は県外のほかの金融機関や企業にもサルビアを贈呈。円谷の存在や地元の顕彰活動も全国に浸透してきた。

思わぬ展開に、安藤喜勝会長（70）は「ありがたい。円谷や私たちの活動に注目してもらえるのはうれしい」と感謝する。

同会は須賀川市内の小中学校や高校にもサルビアを配布した。5月の円谷生誕80周年の節目には市内のコースに配置、住民らに「里親」になってもらい、水やりなどの世話をお願いした。鉢には円谷の座右の銘だった「忍耐」と書かれたステッカーを貼り、難局を乗り越えようとのメッセージも込めた。同会は来年の聖火リレー実施を見据え、準備を進める考えだ。

サルビアは、円谷の兄喜久造さん（88）＝同市＝が64年大会当時の種から代々育ててきた。安藤会長は「喜久造さんから譲り受けた大切な種。中途半端にはできない」と語る。

感染症の収束が見通せない状況に「来年は無理なんじゃないか、という声も聞かれる。だが、開催を前提に最後までやり切りたい」と力を込める。「サルビアから、円谷という偉大なランナーが思い起こされるようになれば」と願う。

池上彰の視点

約30年ぶりのメダル獲得に期待

初めての試みとなった代表選考レース「マラソングランドチャンピオンシップ」(MGC)や札幌へのコース変更、東京マラソンでの大迫選手の見事な走りなど、東京オリンピックの男子マラソンには大きな注目が集まりました。残念ながらオリンピックは延期になってしまいましたが、過去にさかのぼるとオリンピック男子マラソンでは1992年に森下広一さんが銀メダルを獲得して以降、メダルは取れていません。大迫選手を含む代表3選手の活躍に期待しましょう！

高校野球

一戦に全てを懸ける夏 高校野球 交流試合を開催

「球児 夢に万感、一瞬の夏 高校野球交流試合が幕」［8月17日 文・日本経済新聞］

敗れて涙する選手が少なかったのは、勝者にも次戦はないという条件の等しさもあるだろう。一戦に全てを懸ける意味では全チームが決勝のつもりで戦ったともいえ、単なる交流試合がトーナメント戦に劣らぬ熱を帯びたのもうなずける。

勝利が次の試合につながらないむなしさを感じた選手は多かったはず。ただ、たった1試合だからこそ、甲子園に立つ夢がかなった喜びはひとしおだったともいえる。仙台育英（宮城）に勝った倉敷商（岡山）の梶山和洋監督は「勝ち上がれる大会よりも価値があるのでは。（1試合しかなく）モチベーションが下がる可能性のある大会。人間力がなければ勝てない」と語った。

この数カ月間は高校生が受け止めきれないほどの激動の期間だった。3月に全国選抜大会の中止が決定。5月には夏の甲子園大会と、その予選の地方大会の中止も決まった。目指すべき大会がなくなったことに加えて、休校や部活動の休止で仲間や監督に会うこともできず、選手は孤立感にさいなまれた。

選抜大会については、32の代表校が決まった後に中止が決定。それだけに、32校を救済するための交流試合が実現したことに、国士舘（東京）の渡辺隆部長は「地獄から天国に来た気持ち」と感謝した。

新型コロナウイルスの感染防止へ、球場での観戦は選手の家族ら一部に限られた。出場校の大応援団で埋まるはずだったアルプス席は、ファウルボール回収のため2人一組で配置された各チームの野球部員がぽつんと座っているだけだった。

それでも星稜（石川）の林和成監督は「甲子園は甲子園。観客はいなかったが、温かく迎え入れてくれた」と話した。閑散としていながらグラウンドに立つ者に寂しさを感じさせない。それだけの包容力が甲子園の器にはあるということか。

勝利チームが校歌を歌う際に選手間で一定の距離を取ったり、試合が終わるたびにベンチを消毒したりと、様々な感染対策が取られた。選手は円陣で大声を出さないなどプレー以外でも気遣いが求められた。

できる限りの策が施された一方、新規感染者数が増えている中での関西への移動に「正直、不安はあった」と漏らす学校関係者も。国士舘は全てのベンチ入り選手やスタッフがPCR検査を受け、全員陰性の結果を手に甲子園入り。戦う前段階の準備に忙殺される異例の試合だった。

交流試合ではベンチ入りできる選手が18人から20人に増加。監督や記録員を含めると1チーム30人ほどだったが、これだけの所帯がベンチで密状態にならないための工夫など、なお検討すべき課題はあるだろう。それでも、大過なき閉幕は全てのチームが勝利よりも欲していたもの。困難な状況下での開催は、全国の高校野球関係者に得難い経験と教訓をもたらしたといえよう。

（合六謙二）

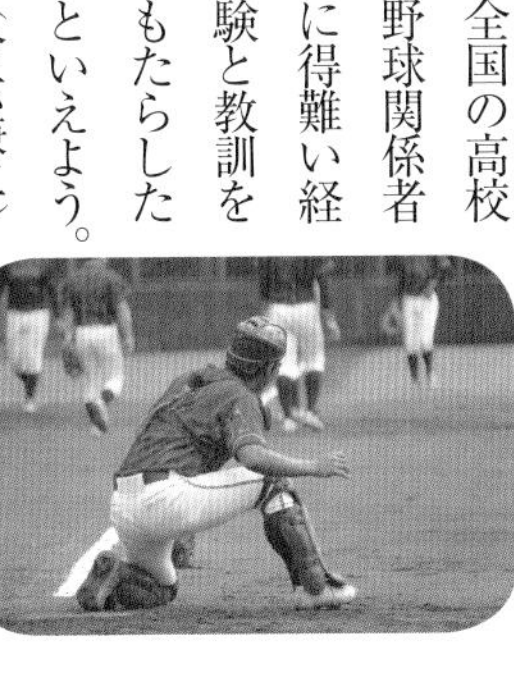

消えぬ甲子園への夢　球児を応援する人々の思い

高校野球

甲子園交流試合　花咲徳栄高の吹奏楽部　学校からのエール届け

［8月11日　東京新聞］

甲子園球場で十日開幕した「2020年甲子園高校野球交流試合」で、第1試合に出場した花咲徳栄（加須市）が大分商に3－1で勝利を飾った。アルプス席を彩るはずだった吹奏楽部の演奏は新型コロナウイルス感染拡大の影響でかなわなかったが、学校からの「リモート応援」でエールを送った。（近藤統義）

校内のホールに用意された大きなスクリーン。ここにテレビの試合中継が映し出されると、吹奏楽部の約九十人が演奏を始めた。「栄冠は君に輝く」や校歌、選手ごとの応援曲にチャンステーマ。その音色はイニングを重ねるごとに迫力を増していった。

「初めての経験で不安もあったけど、やっぱり野球応援はいいなって」。指揮者の横に立った加藤優菜さん（三年）は、演奏曲をボードで知らせる役を務めた。普段は野球部員が担当するため、指示を出すタイミングなどを事前に教わった。「かっこいい姿を見せてくれた選手たちに、ありがとうと伝えたい」

吹奏楽部主将の大平裕太さん（同）は野球部の井上朋也主将のクラスメート。吹奏楽部もコンクールが中止となり大きな喪失感を味わったというが、「画面越しでも伝わってくるものがあった。頑張っている人の応援をできたのは名誉なことです」と話した。

■監督・選手談話

〈花咲徳栄・岩井隆監督〉（開幕試合に）「歴史的に初めての試合をやらせてもらえて光栄。初安打、初打点など、一人一人が初を目指してやれば歴史に名前を残せるよと言って選手を送り出した」

〈同・井上主将〉（3度目の甲子園は無安打）「甘い球を仕留めきれなかった。これまでは先輩たちに連れてきてもらったが、自分たちの代でも甲子園でできてうれしい」

〈同・中井大我捕手〉（完投の高森陽生投手をリード。打っても3安打）「甘い球が2、3球しかない最高の内容。3本はたまたまです」

〈同・飛川征陽右翼手〉（三回に美技）「風が強くて難しかった。あれでチームに流れを持って来ることができた」

■2点適時打の渡壁選手「甲子園で打ててうれしい」

花咲徳栄は一回1死満塁で渡壁幸祐選手が2点適時打を放った。大分商の川瀬堅斗投手の外角高めの速球を流し打ちし「食らいついて芯に当てようと。どうにか次につなぐ気持ちで打席に立ったのがよかった」と充実感を漂わせた。

甲子園球場に近い兵庫県尼崎市の出身。何度も観戦に訪れた甲子園だけに「試合できるのは特別な気持ち。無観客でも甲子園は甲子園。打ててうれしかった」と喜びをかみしめた。

高校球児へ「甲子園の土」集める 阪神・矢野監督「思い込めて」

［6月16日 福井新聞］

プロ野球阪神の矢野燿大（あきひろ）監督や選手、スタッフらが16日、兵庫県西宮市の甲子園球場で、全国の高校野球部員3年生全員にプレゼントするキーホルダーに入れる「甲子園の土」を集めた。新たに女子野球の3年生部員にも贈ることを決めた。

新型コロナウイルス感染拡大の影響で甲子園大会は春、夏ともに中止となった。球児の無念を思いやる矢野監督は練習前に集合したナインに「残念ながら大会はなくなった。ちょっとでも背中を押せるものにしたい。思いを込めて土を集めよう」と声を掛けた。プレーボール時などに響くサイレンとともに全員が一斉にかがみ、手で丁寧に土をすくって袋に詰めた。

画像提供：ペイレスイメージズ/123RF.COM

高校球児の夢をつなぐ支援を

甲子園で活躍する夢を追い、練習に打ち込んできた高校球児たち。特に3年生は夏の甲子園中止によって最後の希望を絶たれました。8月に交流試合が行われましたが、コロナ禍による練習不足や1試合という限られた時間の中で、思い通りの結果を残せた球児はどれだけいたのでしょうか。高校野球を守ることは、未来のプロ野球を守ることにつながります。これは他のスポーツも同様です。今こそ未来のトップアスリートたちに手厚い支援が必要です。

サッカー

キングカズ J1最年長出場記録を大幅に更新

「『キングカズ』に称賛相次ぐ J1最年長出場記録を更新」［9月25日 文・神奈川新聞］

J1最年長出場記録を更新した横浜FCの元日本代表FW三浦知良（53）に、国内外から称賛の声が相次いでいる。国際サッカー連盟（FIFA）は公式ツイッターに「キングカズが史上最年長のプレーヤーになった」と投稿。下平隆宏監督（48）も「カズさんが試合に出ることで、日本中のサッカーファンがざわついた。そういうことができる数少ないプレーヤー」とたたえた。

三浦は23日の川崎戦で後半11分まで出場した。試合は2―3で惜敗したが、下平監督は「カズさんが入ることで周りへの影響力があり、プラスになっている」とコメント。共に先発したMF松井大輔（39）も「久しぶりに一緒にプレーできてよかった。（三浦とは）首位相手に勝てるチャンスは多かったと話した」と明かした。

対戦した川崎のMF中村憲剛（39）にとっても、忘れられない一戦になったようだ。この試合で左膝の大けがから約10カ月ぶりの先発出場を果たしたが、「カズさんの4680日ぶりに比べたら大したことない」と大記録達成のレジェンドを持ち上げた。

試合後にユニホームを交換したことを明かし、「カズさんは『負けたのは悔しいが、ありがとう』と話していた。あとは思い出せないぐらい緊張した。（ファンだった）中学生の自分に戻った感覚だった」と満面の笑みで振り返った。

写真：日刊スポーツ/アフロ

離れていても選手に届く ファンの熱い応援

サッカー

待望の日「本当に幸せ」 復帰のJ2新潟・早川選手 献身プレー

［2019年10月6日 新潟日報］

「憧れていた場所」にようやく戻ってきた。5日、新潟市中央区のデンカビッグスワンスタジアムで行われたサッカーJ2第35節で、急性白血病から復帰したアルビレックス新潟のDF早川史哉選手(25)が約3年6カ月ぶりに公式戦に出場。勝利に貢献し「チームメートと喜びを分かち合い、サッカーをやる喜びを感じられた。本当に幸せ」と思いの丈を口にした。

8月の第28節でベンチ入りして以降、6戦連続でメンバーに名を連ねたが、前節は疲労もありベンチを外れた。それでも「我慢して浮上のきっかけを手にできるかが大切」。アピールを続け、この日の出番に結び付けた。「泥くさくてもチームに貢献したい」。競り合いに果敢に飛び込む気迫を見せつつ、最終列から攻撃にも加わった。的確な判断でチーム3点目の起点となる縦パスを供給するなど長所の一端を示した。

終盤には相手との接触で足を痛めた。だが、それも「戻ってきた実感としての幸せな痛み」とピッチに立つ幸せをかみしめた。「背中を押してくれた」というサポーターの応援歌を背に、最後までピッチに立ち続け、「ずっと思い描いていた特別な一日になった」と語った。

新潟の育成組織出身。年代別日本代表に選ばれるなど輝かしい経歴を積み上げる中で病魔に襲われた。走ると息が切れ、めまいや鼻血などの症状が出た。治療の影響で髪が抜け、筋肉も落ちた。衰える自分の体を見て、涙を流すこともあった。

骨髄移植手術や抗がん剤治療による約1年間の入院を経て、死の恐怖とも戦いながら前に進んできた。「支えてくれた周りの皆さんに感謝したい」と話す。両親は会場に来られなかったが、「90分出られたことをしっかり報告したい。ずっと病気の時も支えてくれた…」と感情があふれた。

「試合の重圧だけでなく、ビッグスワンのピッチは何よりも特別。なかなか冷静さを保つことができなかった」と反省も残る。その分、まだまだプレーが向上していく実感もある。「思考も高まり、もっと欲も出てくると思う。自分がこれからどうなっていくのか、ものすごく楽しみ」と思いを込めた。（紫竹淳志）

『勝利願う気持ち通じた』リモート応援、ゴールに歓喜 ロアッソ白星発進

［6月28日 熊本日日新聞］

「スタジアムに行けなくても、勝利を願う気持ちが通じた」。新型コロナウイルスの影響で延期されていたサッカーJ3が27日に開幕し、ロアッソ熊本は

熊本市東区のえがお健康スタジアムで鹿児島との「九州ダービー」を制して白星発進。リモートマッチ（無観客試合）のため自宅テレビなどで視聴したサポーターたちは待ちわびたサッカー観戦を楽しみ、開幕戦勝利に歓喜した。

サポーター歴10年以上という同市中央区の会社員江口由希子さん（47）は友人らとパソコンに映し出された中継映像を見守った。

開始早々に今季新加入のDF石川啓人が先制ゴールを奪うと、拍手で祝福。「ロアッソ（の試合）がない生活が長すぎた。ようやく日常が戻ってきた感覚ですね」と笑顔をはじけさせた。

後半は鹿児島に押し込まれ、悲鳴を上げる場面が目立った。それでもリードを守ったまま試合終了のホイッスルが鳴ると、ホッと一息。「攻守とも選手が頑張り、ワクワクする戦いだった。今年は絶対にJ2に昇格してもらわないと。早くスタジアムで応援したい」と興奮気味に話した。

Jリーグは7月10日以降、感染対策をして観客5千人以下で試合を開催する方針で、熊本のホーム戦は同11日のC大阪U－23戦から観客を入れての開催が可能になる見通しだ。

サポーター団体「ウルトラアルデラス」の田中宏征代表（45）は「（スタジアムで）観戦できるようになったら選手を力強く後押ししていく。（大声を出すことの禁止など）さまざまな制約はあるが、工夫して応援したい」と次のステップを見据えた。（河北英之）

池上彰の視点

プロスポーツの危機的な状況に対策を

多くのプロスポーツはコロナ禍による中止・中断を乗り越え、試合配信とリモート応援という新しい形で、選手とファンのつながりを保っています。しかし、試合を再開するにあたっては、定期的なPCR検査や厳しい感染症対策を自主的に実施しているため、莫大な経済負担が発生しています。すでに試合数や観客数の減少による損失がある中で、今後もこの状況が続くとチームやリーグそのものが存続の危機に瀕する可能性があり、対策が急がれます。

2020 News 33

あかるいスポーツ

勇気をもらった瞬間

大坂なおみ 人種差別撤廃への願い込め 全米テニス優勝

「大坂なおみが2年ぶり2回目のV
4大大会3勝目　全米テニス」［9月13日　文・毎日新聞］

テニスの4大大会、全米オープンは12日（日本時間13日）、ニューヨークのビリー・ジーン・キング・ナショナル・テニスセンターで女子シングルス決勝が行われ、第4シードで世界ランキング9位の大坂なおみ（22）＝日清食品＝が、全豪オープンで2度の優勝経験がある同27位のビクトリア・アザレンカ（31）＝ベラルーシ＝を1－6、6－3、6－3で降し、2年ぶり2回目の優勝を果たした。4大大会での勝利は2019年の全豪以来で通算3勝となり、女子の李娜（中国）を抜いてアジア勢単独最多となった。ツアー通算6勝目で、優勝賞金300万ドル（約3億1800万円）を獲得した。

大坂は大阪市出身。ハイチ出身の父と日本人の母を持ち、3歳で米国へ移住した。18年の全米で男子を含めた4大大会シングルスで日本選手として初優勝の偉業を達成。全豪優勝後には世界ランキング1位も経験した。

今大会は人種差別に抗議するため、1回戦から決勝までの7試合で、入場時などに黒人被害者の名前の入った7枚のマスクを1枚ずつ着用。「世界中の人に被害者がどういう人かを知ってもらい、関心が広がれば」との思いを原動力に勝ち上がった。（浅妻博之）

■大坂なおみ
私のマスクを見てみんなが話題にしてくれればうれしい

（優勝した後にコートであおむけになり）試合が終わって崩れ落ちる時があるけど、けがをしたくないので寝転がった。出だしは調子がよくなかったけどチームのみんなが私の力を信じてくれた。（人種差別の撤廃を訴えるために計7枚用意したマスクを全て着用し）私のマスクを見て、みんなが（この問題を）話題にしてくれれば、うれしい。

写真：USA TODAY Sports/ロイター/アフロ

苦難を乗り越えた選手たち
その生き方が、人々に勇気と感動を与える

勇気をもらった瞬間

「プールに戻る、一心で」池江選手、国立競技場に立ち東京五輪1年前、メッセージ

［7月24日　朝日新聞］

新型コロナウイルスの影響で来夏に延期となった東京五輪の開会式1年前となった23日、東京・国立競技場で記念イベントが行われ、白血病からの復帰をめざす競泳女子・池江璃花子選手（20）が自らの境遇を重ねながら、世界に向けてメッセージを発信した。

「大きな目標が目の前から突然消えてしまったことは、アスリートたちにとって言葉にできないほどの喪失感だったと思います。私も、白血病という大きな病気をしたからよく分かります。思っていた未来が、一夜にして、別世界のように変わる。それは、とてもきつい経験でした」

本来なら24時間後に開会式があるはずだった国立競技場は無観客で、華美な演出もない。フィールドの中央で一人、池江選手は願いを込めて言った。「1年後、五輪やパラリンピックができる世界になっていたら、どんなに素敵だろう」

昨年2月に白血病と診断されたとき、東京五輪に出なくてよくなったと安堵するほど重圧を感じていた。メッセージ後に流れた3分間の映像のなかでは、「でも、それが無くなって、自分はどうしようもなくこのスポーツが好きなんだと（アスリートたちは）心の底から思ったはず。私もそうだった」と明かした。

池江選手は2024年パリ五輪をめざし、5月から本格的な練習を再開している。世界のアスリートたちも、さまざまな制約がある中で練習を続けている。

「希望が遠くに輝いているからこそ、どんなにつらくても、前を向いて頑張れる。私の場合、もう一度プールに戻りたい、その一心でつらい治療を乗り越えることができました」。そして、「1年後のきょう、この場所で、希望の炎が輝いていてほしいと

写真：朝日新聞

思います」と結んだ。（清水寿之）

照ノ富士が3年ぶり幕内勝ち越し 得意の右四つ、佐田の海に何もさせず 7月場所9日目

［7月27日　毎日新聞］

大関だった2017年夏場所以来、3年ぶりとなる幕内での勝ち越しに照ノ富士は「一生懸命やってきてよかった」と、かみしめるように語った。

立ち合いすぐに左上手を引いた。右も差して得意の右四つになると、佐田の海に何もさせずに寄り切った。万全の形に「今場所一番の相撲」と手応え十分だ。

モンゴル出身で関脇だった15年夏場所で初優勝し、平成生まれの力士としては初めて大関に昇進した。だが、両膝を負傷し、糖尿病なども患って大関から陥落した。引退も考えたが、師匠の伊勢ケ浜親方（元横綱・旭富士）に「まずは治してから」と言われて治療を優先。序二段まで落ちた19年春場所で5場所ぶりに復帰すると、着実に番付を上げ、今場所は2年半ぶりの返り入幕を果たした。「親方のことを信じてやってきてよかった」と感謝の言葉を述べた。

大関経験者が序二段まで落ちて幕内に戻るのが初めてなら、勝ち越すのも当然、初めて。1敗を守り、表情を緩めることなく「場所はまだ終わっていない。一番一番集中して、今できることをやるだけ」。白星を積み重ねることで周囲からは優勝への期待も膨らみ始め、「史上最大の復活劇」の続きが気になる展開になってきた。（村社拓信）

池上彰の視点

スポーツの存在意義を考える

病気やケガで選手生命が危ぶまれたトップ選手が、リハビリやトレーニングを経て、見事に復帰を果たす――。アスリートの復活劇は、多くの人たちに勇気を与えます。スポーツは人間が持つ可能性への挑戦であり、競技に打ち込む選手たちのひたむきな姿は夢と感動を生み出します。また、全米オープンで黒人差別被害者の名前が書かれたマスクを着用し続けた大阪なおみさんのように、アスリートの勇気ある行動は世界を変える原動力にもなり得ます。

まだまだある!!

まちにあふれる

あかるいニュース

カテゴリーにはおさまりきらないけれど
心をホッとさせてくれるニュースをあつめました！

「なんじゃこりゃ」道端にソフトボール？正体はキノコ

［6月24日　丹羽新聞］

なぜこんなところにソフトボールが――？　兵庫県丹波篠山市北沢田の道端に、ボール状の白いキノコが出現し、住民たちの間でひそかな話題になっている。

ホコリタケ科のキノコとみられ、夏から秋にかけて発生し、毒はない。同地区の道端には現在、大小3個ほど生えており、大きいもので直径約18センチに成長している。

近くの男性（70）によると、数年前から毎年、草刈り後に突如として姿を現すようになったそう。初めて見た時は「なんじゃこりゃ？　ソフトボールか？」と思ったという。

よく見るとキノコで、「なんか気持ち悪いし、毒があったら、子どもが触っては大変」と、毎年、蹴って取り除いていた。

近隣住民らも「見たことがない」と言い、長らく正体不明だったが、ホコリタケ科のキノコらしいと判明。調べてみると毒はなく、育ち始めの「幼菌」は「はんぺん」のような食感で食べられることもわかったものの、男性は、「いやぁ…」と苦笑いを浮かべる。

現在はソフトボールほどのサイズだが、今年はどこまで成長するか見守ってみるそう。

提供：丹波新聞

ロン毛「男女」と言われても…小3男児、強い決意の33センチヘアドネーションへ4年越し断髪

［8月12日　南日本新聞］

僕の自慢の髪を役立ててー。鹿児島市の小学3年生男児が、数年前から伸ばし続けた髪を切り、医療用かつらを無償提供しているNPO法人に寄付した。

鹿児島市の東谷山小学校の追立結吏（ゆうり）君は、腰付近まで伸ばした髪の毛を33センチ切った。

ダンスやギターが得意な結吏君は、「おしゃれ」の一つとして4年前から髪を伸ばし始めた。1年ほどたった頃、小児がんのドキュメンタリー番組を見て「困っている人を助けたい」と、ヘアドネーションを決意した。

同じ年頃の子どもから「男女」と冷やかされることもあった。母真依さん（35）によると、「ゆうり」という名前に加えやせ形の体形から、大人からも女の子に間違えられることが多かったという。

それでも結吏君の決意は揺るがなかった。寄付するのに十分な長さにまで伸ばし、7月31日に家族が行きつけの自宅近くの美容室で〝断髪式〟に臨んだ。

散髪を終えすっきりした結吏君は「頭が軽くなった。ヘアドネーションをもっと調べて夏休みの自由研究にしたい」と気合十分。カットした福司山昌子さん（33）は「手入れが行き届いていて髪の状態が非常に良い。いいウイッグができるはずだ」と太鼓判を押した。

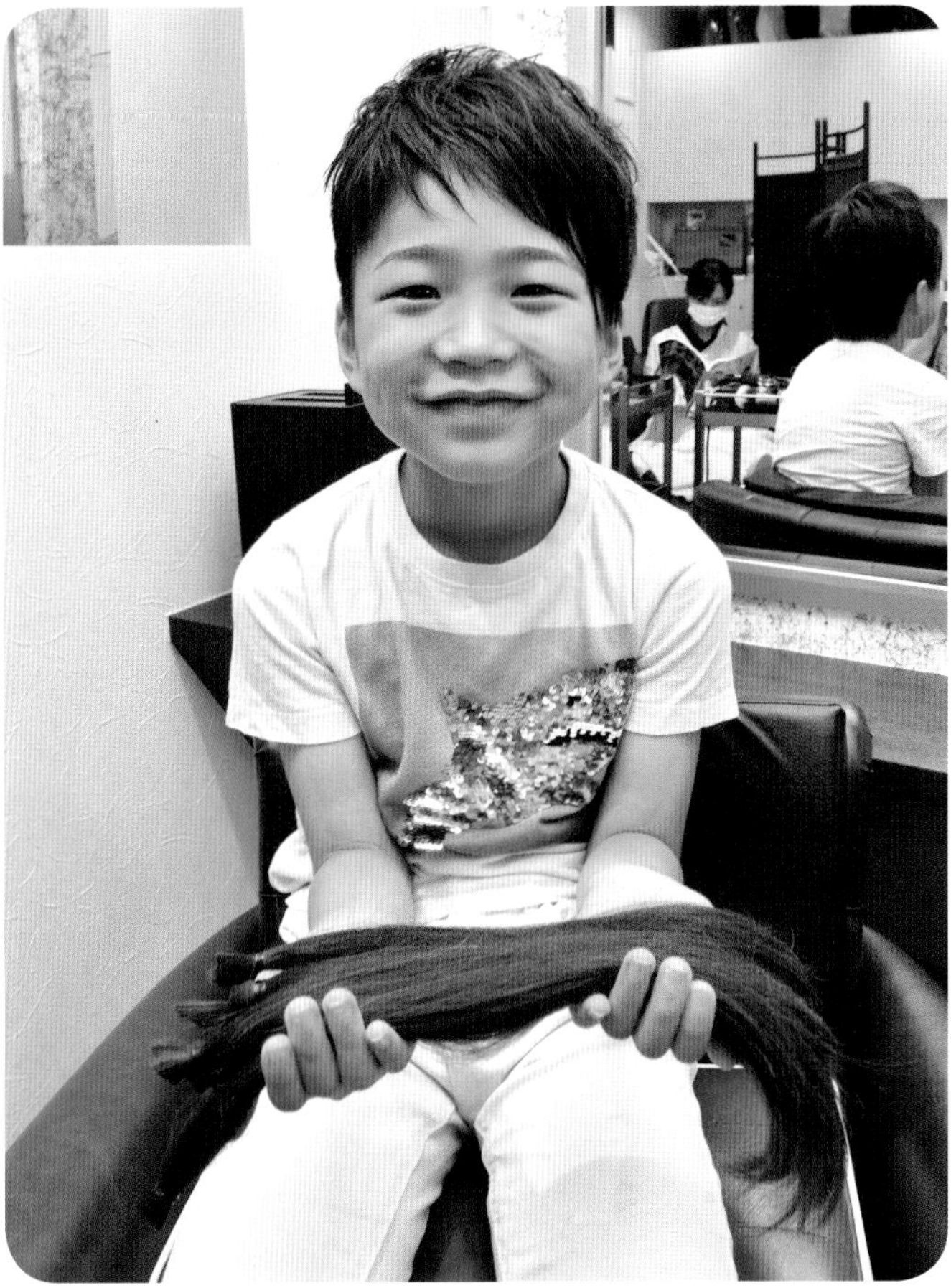

提供：南日本新聞

〝パンの里〟和みの壁画 高畠・県内の若者ら、メーカー倉庫に描く

［9月22日 山形新聞］

県内の若手イラストレーターや大学生が協力し、高畠町のパン製造販売業者の倉庫に描いてきた壁画が21日、完成した。焼きたてパンや地元の草花、動物たちが柔らかなタッチで表現され、直売所に訪れた人々を笑顔にしている。

壁画があるのは、同町深沼の「たいようパン」（大浦正人社長）が運営する直売所隣の倉庫。同社のパンのデザインを手掛けるイラストレーター沼沢玲菜（れな）さん（36）＝山形市みはらしの丘1丁目＝が壁画制作を大浦社長に提案したことがきっかけで、7月からプロジェクトが動きだした。

デザインは沼沢さんが1カ月ほどかけて熟考した。「誰が見ても明るい気持ちになり、親しみが湧く絵柄にしたい」と、近所の草花を摘んでは色や形を研究。焼きたての香りが今にも漂ってきそうな食パンやフランスパン、リスやネズミなどの愛らしい小動物もデザインに閉じ込めた。

壁画制作は1週間前からスタート。この日は沼沢さんのほか、絵画に興味がある山大医学部2年の田中梨花（りんか）さん（23）と東北芸術工科大芸術学部4年の池田美涼（みすず）さん（21）も助っ人として参加した。水性ペンキとアクリル絵の具を使って縦約2・5メートル、横約4・5メートルの壁に次々とイラストを描き出し、利用客からは「完成楽しみにしてるよ」「頑張れ」と声援が送られた。

今後は完成した倉庫をパンの実演販売などに活用するといい、大浦社長は「アートによって『パンの里』としての魅力が高まった」。秋には直売所にも壁画を描く予定で、沼沢さんは「地域の子どもたちも呼んで、みんなで直売所の壁を彩れたら」と話している。

写真：たいようパン株式会社

家族もキミも悪くない・コロナの名に誇り…社長が社員の子へ激励の手紙

［6月13日　読売新聞］

新潟県三条市の暖房機器製造大手「コロナ」の小林一芳社長は、社名が新型コロナウイルスを連想させることで胸を痛めている社員の子どもに向けて、「ご両親に誇りを持ってほしい」という思いを込めたメッセージを公開した。約2300人の全社員に手紙として送るという。

〈もし、かぞくが、コロナではたらいているということで、キミにつらいことがあったり、なにかいやなおもいをしていたりしたら、ほんとうにごめんなさい。かぞくも、キミも、なんにもわるくないから。わたしたちは、コロナというなまえに、じぶんたちのしごとに、ほこりをもっています。キミのじまんのかぞくは、コロナのじまんのしゃいんです〉など、メッセージは全てかなで書かれ、心を励ます内容としている。

同社によると、社名のコロナは、石油コンロの青い炎や太陽の周囲に現れるコロナのイメージを重ね、親しみやすいブランド名として1935年に商標登録。新型コロナウイルスの感染拡大に伴う風評被害や差別は確認されていないが、一部の社員から「子どもが落ち込んでいた」「『コロナって悪いの？』と子どもに聞かれた」といった声が寄せられたため、手紙を送ることを決めた。小林社長は「子どもたちの不安や疑問を一掃し、社員の心も鼓舞したい」と話している。

提供：熊本日日新聞

球磨焼酎、感謝の仕込みへ
熊本豪雨3カ月、被災の蔵元が事業再開

［10月4日　熊本日日新聞］

　7月の豪雨で被災した熊本県人吉市下林町の球磨焼酎蔵「大和一酒造元」が3日、タンクに残っていた焼酎の瓶詰めを再開した。災害発生から4日で3カ月。迷いながらも、支援に背中を押される形で一歩を踏みだした。

　1898（明治31）年から屋号を守り続ける老舗の蔵。敷地内に湧き出る温泉水を焼酎の仕込みに使うなど、豊かな自然の恩恵を受けてきた。

　しかし、豪雨で蔵の様子は一変。浸水は約3メートルの高さに達し、焼酎造りに欠かせない明治期のこうじ室やボイラーなどの機械類は泥水に漬かった。数十本あるタンクは多くがひっくり返るなどし、貯蔵していた焼酎の約80％に当たる4万4千リットルが流失した。

「被害の大きさにぼうぜんとするしかなかった。焼酎造りも諦めかけた」。下田文仁社長（53）の脳裏には、無残な蔵の姿が今も焼き付いている。

　そうした中、7月5日には球磨焼酎を造る同業の有志らが片付けに駆け付けた。全国のファンや取引先からも続々と義援金や応援メッセージが届いた。下田社長は「支援のありがたさを初めて理解できた。感謝しかなかった」と振り返る。

　再開したこの日は、タンクに残った6千リットルの牛乳焼酎「牧場の夢」のうち一升瓶800本を瓶詰めした。下田社長は機械のスイッチを押す瞬間、涙が込み上げたという。11月には、被災後初の仕込みに取り掛かる。

　アルコールの消費低迷に新型コロナウイルスの影響が加わり、豪雨が決定的な追い打ちをかけた。事業再開が正解かどうかも分からない。それでも、下田社長は「焼酎を届けることで支援の恩返しをしたい」と蔵を守り抜く覚悟だ。

　「牧場の夢」は10月中旬から、全国の酒販店などで購入できる。同社TEL0966（22）2610。（小山智史）

佐藤誠さん
閉園する「としまえん」の遊具整備を36年間担った

【8月27日　朝日新聞】

今月末で惜しまれながら閉園する老舗遊園地「としまえん」（東京都練馬区）。世界的にも貴重な回転木馬など、多彩な園の遊具の機械整備を担ってきたのが佐藤誠さん（60）だ。閉園後も引退せず、整備の仕事を続けるという佐藤さんには、ある「夢」がある。

「機械が泣いているサイン」という。運転音に混じるかすかな異音を聞き分け、故障に至る前に整備する。

今月末で閉園する東京の老舗遊園地「としまえん」。世界最古級の回転木馬として知られる園の顔「カルーセルエルドラド」など、30種を超える遊具のメンテナンスを入社以来36年間担当してきた。

埼玉県出身。大学で機械工学を専攻し、自動車会社などへの進路を描いていたが、教授の紹介で園へ。「怖い乗り物が嫌いで遊園地が苦手」のため戸惑ったが、ローラーコースターからコーヒーカップまで、動力源も構造も様々な乗り物を相手にする奥深い世界にはまった。現場にこだわり、3人の遊具担当で最もベテランだ。

先日、試運転でエルドラドのギアに不具合が見つかり、開始時間が遅れた。無事に動き出すと女性客が駆け寄り、「ありがとうございます」と笑顔を見せた。「乗り物はいつも変わらず動き続け、いろいろなお客様を迎えてきた。その価値を改めて感じています」

苦楽を共にしたエルドラドは解体され、倉庫に眠ることになる。だが、夢がある。いつかまた組み立てられ、どこかの遊園地で回る姿に再会したい。

「その時こそ客として優雅に乗りたい。これまでは機械の調子が気になって楽しめなかったから」。そのためにも最後まで整備に気が抜けない。（中井なつみ）

提供：朝日新聞社

水戸の鯉淵小で発電教室 再生可能エネルギーやSDGs学ぶきっかけに

［10月5日　水戸経済新聞］

水戸市立鯉淵小学校（水戸市鯉淵町）で9月28日、5年生34人を対象に「Looop発電教室」が開かれた。主催はLooop（東京都台東区）。

再生可能エネルギーを中心としたエネルギーサービスを展開する同社。春の木ソーラー発電所は、同校近くにある2016（平成28）年4月に稼働を始めたLooop最大規模の太陽光発電所。15万平方メートルの広大な敷地からなり、2500戸分の電力消費を賄う発電能力を備える。同社では、2018（平成30）年から、近隣住民を対象に発電所見学プログラムを展開し、再生可能エネルギーの普及促進を図っている。

当日は、同社として初めて小学生を対象にした「Looop発電教室 春の木発電所見学ツアー&理科実験教室」を開いた。社員が講師を務め、太陽光発電を利用した「ソーラーバッタ」作りや扇風機を回す実験教室を通じて、太陽光パネルが蓄電する仕組みを説明した。

発電所見学では、グループに分かれ、クイズラリー方式で敷地内を見学。児童は太陽光パネルに触れながら、設置されたパネルの数や発電所の名前の由来、太陽光パネルを南向きに設置する理由、1年に1軒で使用する電力量などの説明を受け、学びを深めた。女子児童は「近所にあってもなじみがなかった。電気のことも知らなかったので、分かりやすく教えてもらえて良かった。今日の授業を通して、電気を大量に使わないようにしようと思った」と話す。

提供：水戸経済新聞

企画は、今年7月ごろから新入社員を中心に進めた。鯉淵小学校の佐々木英治校長によると、発電所の近くにある小学校として、児童らに再生可能エネルギーやSDGsについて興味を深めてほしいと同校が協力を仰いだという。

同社広報担当者の鬼頭舞さんは「Looopではエネルギーフリー社会の実現を目指している。エネルギーを生み出すことは新しい価値を生み出すことにつながる。今後も子どもたちや地域の方に再生可能エネルギーの果たす役割などを伝えていけたら」と話す。

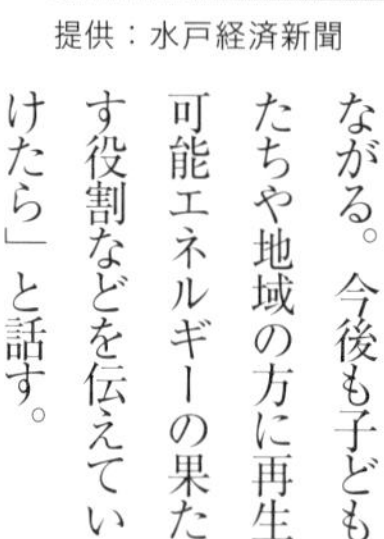

提供：福島経済新聞

エアレースパイロット・室屋義秀さん、福島の空に笑顔を描く「＃大空を見上げよう」

［6月5日　福島経済新聞］

福島市を拠点に活動しているパイロット・室屋義秀さんが6月4日、福島の空にスマイルマークを描き飛行した。

「大空を見上げよう」をコンセプトに行われた「Fry for ALL」。福島市を拠点に活動する、アジア初のレッドブルエアレースパイロット・室屋義秀さんが県内を飛行し、各地域の空にスマイルマークを描いた。

室屋さんは会津若松市をはじめに県内を飛行。二本松市、福島市、伊達市などを飛行し、空に飛行機雲でスマイルマークを描いた。飛行中は室屋さん自身のツイッターアカウントで飛行状況を発信し、福島市には12時45分ごろ到着。福島市大町付近上空と飯坂町上空を飛行した。

地上から様子を見ていた市内在住の女性は「感動した。天候にも恵まれてきれいな笑顔を見ることができた」と笑顔を見せた。「コロナウイルスで落ち込んだ世の中に元気が出れば」とも。

室屋さんはツイッターで「たくさんの人に空を見上げてもらえありがたい。うまくいかないことも多々あり、うつむきがちになることが多いが、そうならないよう空を見上げてもらえれば」と発信した。

流行語

2020年に人々の心に元気を与えてくれた言葉や出来事を集めてみました！あなたはいくつ知っていますか？

01.
テレワーク

IT技術を活用することで、時間や場所にとらわれずに働く勤務形態のこと。「tele = 離れた所」と「work = 働く」を合わせた造語。

02.
うちで踊ろう

ミュージシャンの星野源氏が、2020年4月3日に自身のInstagramアカウント上で発表した楽曲。SNSで動画が拡散され、日本国内を中心とする著名人とのコラボレーションが話題となった。

03.
おうちカフェ

飲み物や料理、インテリア、音楽などをおしゃれに工夫して、自宅でカフェのような雰囲気を演出し、楽しむこと。

04.
ぴえん

泣いている様子を表す言葉。泣き声の「ぴえーん」を省略したもので、悲しいときだけでなく嬉しいときにも使う。

05.
マイバッグ

主にスーパーやコンビニで購入した商品を入れる自前のサブバッグ。レジ袋有料化に伴って利用者が急増した。

勝手に
あかるい

06. あつ森

画像提供：©2020 Nintendo

任天堂が2020年3月20日に発売したNintendo Switch用ソフト『あつまれ どうぶつの森』の通称。無人島で気ままに暮らし、ユーザー同士の交流も可能。世界中で大ヒットしている。

07. NiziU

日本人9人で構成するガールズグループ。世界的な音楽プロデューサーJ.Y.Park氏がプロデューサーを務めるオーディション番組で一躍人気に。

08. 推し事

一推しのアイドルや、アニメのキャラクターなどを意味する「推し」を応援すること。「推し」と「お仕事」を掛けた言葉。

09. アマビエ

絵に書き写すことで疫病を収めるといわれている妖怪。海を光らせて、豊作なども予言したと伝えられている。

『新聞文庫・絵』（京都大学附属図書館所蔵）

10. オンライン飲み会

パソコンやスマートフォンなどでビデオチャットをしながら、お酒や料理を楽しむ非対面の飲み会。自宅で気軽に参加できることから、新型コロナウイルスによる外出自粛を受けて、一気に広まった。

日本のあかるいニュース

2020年11月17日　第1刷発行

監修	池上彰
装丁	長坂勇司(nagasaka design)
デザイン	関根千晴(スタジオダンク)
編集協力	松坂捺未、渡辺有祐(フィグインク)
執筆協力	小林ぴじお
校正	株式会社東京出版サービスセンター ディクション株式会社
編集	曽我彩
発行者	山本周嗣
発行所	株式会社文響社 〒105-0001 東京都港区虎ノ門２丁目２−５ 共同通信会館９Ｆ ホームページ　https://bunkyosha.com お問い合わせ　info@bunkyosha.com
印刷・製本	株式会社廣済堂

ISBNコード：978-4-86651-315-7 Printed in Japan
この本に関するご意見・ご感想をお寄せいただく場合は、
郵送またはメール(info@bunkyosha.com)にてお送りください。